魯迅詩歌翻譯傳播研究

**A Study Of Translation And
Communication Of Lu Xun's Poems**

吳　　鈞　著

文 史 哲 學 集 成
文史哲出版社印行

國家圖書館出版品預行編目資料

魯迅詩歌翻譯傳播研究 ＝ A Study Of
Translation And Communication Of
Lu Xun's Poems / 吳鈞著. -- 修訂再
版 -- 臺北市：文史哲，民 101.10
　　頁；公分（文史哲學集成；630）
　　參考書目：頁
　　ISBN 978-986-314-069-6（平裝）

　1.周樹人　2.詩歌　3.詩評
851.484　　　　　　　　　101021431

文史哲學集成　630

魯迅詩歌翻譯傳播研究

著　　者：吳　　　　　　　　鈞
出 版 者：文　史　哲　出　版　社
　　　　　http://www.lapen.com.tw
　　　　　e-mail：lapen@ms74.hinet.net
登記證字號：行政院新聞局版臺業字五三三七號
發 行 人：彭　　　　正　　　　雄
發 行 所：文　史　哲　出　版　社
印 刷 者：文　史　哲　出　版　社
　　　　　臺北市羅斯福路一段七十二巷四號
　　　　　郵政劃撥帳號：一六一八○一七五
　　　　　電話886-2-23511028・傳真886-2-23965656

實價新臺幣三六○元

中華民國一○一年（2012）八月初版
中華民國一○一年（2012）十月修訂再版

魯迅詩歌翻譯傳播研究

目　　次

序一

更上一層樓的佳境

　　魯迅是中國在英語世界傳播最爲廣泛的著名中國現代作家之一，他的小說和雜文的英譯在世界上早就有了多種版本，但魯迅的詩歌英譯，至今仍是一個有待開拓的領域。魯迅的詩歌創作雖然數量不多，但內涵豐富深刻，極具藝術價值，而英語是世界上最普及的傳播語言，將魯迅的詩歌譯成英語，對魯迅文學的世界傳播具有重要價值和意義。

　　吳鈞的這部論著是在她的前期研究成果《魯迅翻譯文學研究》的基礎上的繼續深入和拓展。《魯迅翻譯文學研究》的出版顯示了吳鈞學術創造力和紮實深厚的專業理論知識、良好的思維訓練和文學感覺，是她的學術生涯階段性的一個重要成功標誌。本著作進一步從翻譯傳播學的新角度探究魯迅作品的翻譯和世界傳播，尤其值得稱讚的是，吳鈞採用中國傳統譯論 "譯即易" 的觀點，以易經爲哲學基礎，探討中國譯論《譯易學》建設的可能性和可行性。吳鈞根據易經的 "簡易、變易和不易" 的三原則，以魯迅詩歌爲解析範例從翻譯的角度分別論述，爲中國譯論的建設進行了有益的嘗試。除此之外，吳鈞還將魯迅全部的詩歌創作譯爲英語，塡補了此前魯迅詩歌在國內沒有完整的英譯本的空白，並且糾正了海外譯者的一些誤譯。

　　吳鈞二十多年前就跟著我研讀美國文學，她的刻苦認真的學習精神和鑽研的韌性值得讚賞。本書的出版顯示出她的更為開闊的研究視野，和學術研究更上一層樓的佳境。在此，我對吳鈞在魯迅翻譯文學領域研究的第二本專著的出版表示祝賀，並預祝吳鈞在今後的教學與研究中，進一步地去開拓翻譯文學研究的空間和開拓外國文學翻譯、特別是在英美文學翻譯對中國文學創作的傳播與影響等方面做進一步的探求。我以這篇簡短的序文予以吳鈞良好的祝願和深切的期待，期待她在魯迅學術研究和英美文學研究的道路上繼續前進，取得更大的成就。

郭繼德　2012 年 8 月 8 日

　　郭繼德教授簡介：

　　山東大學外國語學院二級教授、博士生導師、前院長，現任美國現代文學研究所所長、加拿大研究中心主任、省級重點學科英語語言文學專業帶頭人，外國語言文學（一級學科）博士後流動站第一學術帶頭人，兼任全國美國文學研究會副會長，全國美國戲劇研究會會長、中國加拿大研究會會長等。

序二

魯迅詩歌翻譯傳播研究的新開拓
── 序吳鈞《魯迅詩歌翻譯傳播研究》

　　新時期到來後，傳播學研究興起，一些著作文章如雨後春筍出版不少；同時，一些高等院校也成立了傳播學院或建立了傳播學專業。隨著科技手段的日益現代化，一時間傳播學成了人們關注的熱門學科。然而，翻譯傳播學的研究卻少有人問津，研究領域還比較冷清。這可能和研究傳播學的專業人士大多是中文學科轉來的有關。他們受專業所限，少有人涉獵翻譯傳播學。在這一背景下，出身於英語專業、後又獲中文學科現當代文學博士學位的吳鈞教授，在她的科研專案範疇內，以魯迅詩歌的翻譯傳播爲突破口，對翻譯傳播學從理論、走向、建構諸方面進行研究，特別是結合中國傳統譯論“譯即易”的思想觀點，寫出了《魯迅詩歌翻譯傳播研究》一書，可喜可賀，不愧爲對魯迅詩歌翻譯傳播研究的新開拓。從易學觀點出發，以魯迅詩歌的翻譯傳播爲依據進行《譯易學》的探究更是別有新意。

　　作爲思想家、文學大師的魯迅，多以他的小說和雜文爲人們所重視，研究文章和著作可謂汗牛充棟，但對他的詩歌研究卻很少，對其詩歌的翻譯傳播研究更是少之又少，這不能不說是一件文壇上的憾事。吳鈞的著作對魯迅詩歌的題材、體裁、形式、風格、美學特徵進行了綜合分析與概述，可說是下了功夫。據作者考證，魯迅詩作共 66 題 81 首，其中舊體詩（亦稱古體詩）53 題 68 首，佔據數量最多；新詩和歌謠體詩計 13 首，散文詩則以《野草》為代表。作者認為，從內容上講，魯迅詩作有揭露反動政府的專制與社會黑暗的，有抒發愛國情懷的，也有嘲諷文人墨客及社會不良之風的。從藝術上講，作者又論述了魯詩的風骨美、情感美、音韻美、形式美等諸多美學特徵。的確，魯詩有它獨特的審美價值，人們不應以魯迅在小說雜文方面的巨大成就而忽視了他的詩歌成就。魯迅的古體詩剛勁有力，語言高尚又富有形象性，而且還多有警句蘊聚其中，如人們熟知的 "橫眉冷對千夫指，俯首甘為孺子牛"、"無情未必真豪傑，憐子如何不丈夫"、"血沃中原肥勁草，寒凝大地發春華"、"寄意寒星荃不察，我以我血薦軒轅" 等讀後令人深思。他的新詩或民謠體詩則通俗詼諧，富有調侃嘲諷之氣，也頗有特色。如《夢》一詩："很多夢，乘黃昏起哄。/前夢才擠卻大前夢時，後夢又趕走了前夢。/去的前夢黑如墨；在的後夢墨一般黑；/去的在的仿佛都說，'看我真好顏色'。"語言幽默風趣，但內含深意，是對現實 "黑如墨" 的批判，並表達了對黎明到來的期望。再如《愛之神》、《他們的花園》、《我的失戀》，皆有獨特的含義，也是大家比較熟悉的。他的新詩雖然不多，但別有風味兒。

　　散文詩集《野草》，可說是中國現代散文詩的開山之作，共收 1924 年 9 月至 1926 年 4 月間所作散文詩 23 篇。《題辭》

則寫於 1927 年 4 月。該書於 1927 年 7 月由北京北新書局出版。它的問世使中國詩壇有了真正意義上的散文詩。它揭露帝國主義、封建勢力的罪惡,並加以嘲諷批判;同時又表達了自己對光明和理想的熱烈追求;此外,它也真實地記錄了魯迅內心的矛盾與苦悶並要加以克服、繼續前進的心情。但是,由於當時黑暗勢力的重壓,魯迅不便直喊直說,便採用了曲折迂迴的象徵手法,在這一意義上說,魯迅是中國最早的象徵派大師也不爲過。它在語言上的含蓄、凝練,多用隱喻,更爲人們所激賞。如《失掉的好地獄》、《復仇》、《立論》、《聰明人和傻子和奴才》、《這樣的戰士》、《淡淡的血痕中》、《秋夜》、《死火》、《好的故事》以及《過客》、《影的告別》、《臘葉》、《希望》、《風箏》等,都是叫人讀後難忘的作品。對這樣的散文詩廣爲翻譯並在海外傳播,對瞭解魯迅、瞭解魯迅所處的時代都是很有意義的。

吳鈞不但對魯迅的詩歌進行了直接的研究分析,並從翻譯傳播方面加以擴展,實在是一件非常有意義的事。因此,這本書的出版,不但填補了魯迅詩歌翻譯傳播研究的空白,而且對整個翻譯傳播學的研究也是一個貢獻。

是爲序。

吳開晉 2012 年 8 月 19 日於北京

　　吳開晉教授簡介：

　　山東大學文學院教授。著名詩歌評論家，曾任中國當代文學研究會、中國新文學學會理事，山東省當代文學研究會副會長。現兼任中國詩歌學會理事，爲中國作家協會會員。詩作《土地的記憶》，在 1996 年慶祝世界反法西斯戰爭勝利五十周年東京世界詩人大會上，獲以色列米瑞姆·林德勃哥詩歌和平獎。《新詩的裂變與聚變》一書，2005 年 10 月獲國際炎黃文化研究會第三屆龍文化金獎。2001 年和 2004 年曾先後應邀赴美國馬裡蘭大學及華盛頓地區華人詩社講授唐詩宋詞。著有詩作、詩論 10 餘種。

前　言

　　魯迅研究的論著早已經是汗牛充棟了，魯迅小說雜文的外譯也早已有了不同的多種語言的版本，但魯迅詩歌的翻譯及其研究卻至今仍然十分稀少。截至目前的統計，至今國內外只有大約五個不完全的魯迅詩歌翻譯版本，其中兩個譯本還在國外。魯迅詩歌翻譯不僅數量不足，而且品質有待提高。由於研究的普遍不夠，魯迅詩歌翻譯中的遺漏和誤譯也就在所難免了。例如有將魯迅在 1924 年在《"說不出"》一文中批評的那種無病呻吟的所謂"我說不出"的詩也列爲魯迅自己的詩歌創作並進行了翻譯。[1]還有一些對詩歌創作意義和對背景的不同見解和分歧，這些問題若不解決，翻譯品質必定受到影響。所有這些都需要在不斷地深入研究中加以解決。由此，魯迅詩歌翻譯與研究就是一個值得一作的有意義的研究課題。

　　儘管魯迅詩歌在魯迅一生的文學創作中分量很小，但它們卻是魯迅文學創作的精華所在。從目前出版的各種魯迅詩歌選讀本來看，魯迅最早的詩歌創作於 1900 年 3 月，當時二十歲的青年魯迅正在南京求學，他從家鄉度度過寒假返回學

1　詳見魯迅全集第七卷《集外集》第 41 頁。人民文學出版社，2005 年版。

校後，寫了組詩《別諸弟》三首寄託他的兄弟思念之情。魯迅一生中最後一首詩歌是 1935 年 12 月寫贈給許廣平的《亥年殘秋偶作》。截止目前的統計，從 1900 年到 1935 年的 35 年中，魯迅一生共創作了 66 題 81 首詩歌，這些詩歌無論是舊體詩，還是新體詩或民歌體的詩歌，都顯示出中國文學大家的風範和偉大詩人的神韻。

本著作從翻譯傳播學的角度出發，對魯迅一生中的所有詩歌創造進行了分類總結和研究，繼而在研究的基礎，將魯迅全部的詩歌翻譯成英語。全書分上下兩編。上編四章進行自成體系的逐個理論探究與論說，下編按魯迅詩歌的舊體詩、新體詩和民歌體三類進行了英語翻譯。

第一章爲總論。本章分三小節就魯迅詩歌創作、魯迅詩歌英譯以及魯迅詩歌英譯與世界傳播的問題進行了總的論說。

第二章爲魯迅詩歌翻譯理論的探討。筆者按照中國傳統“譯即易”的觀點，以易經爲哲學基礎，探討中國譯論《譯易學》建設的可能性和可行性。本章分爲三小節，第一節簡易 —— 簡潔守信；第二節變易 —— 譯技變通；第三節不易 —— 譯理恒定。這三個部分是根據易經的“簡易、變易和不易”的三原則從翻譯的角度進行分別的論述，也是爲中國譯論的開拓進行有益的嘗試。

第三章爲魯迅詩歌英譯的藝術探究—神形韻。在本章筆者就詩歌的“意美與神似”、詩歌的形美與句似，以及對詩歌的音美與韻似的問題進行了論說和探究。

第四章爲魯迅詩歌英譯傳播的借鑒 —— 他山石。在本章筆者嘗試從西方人士的中國典籍翻譯與傳播的成功中汲取經驗與教訓。例如第一節是對西方著名漢學家理雅各易經翻譯傳播的借鑒與思考，第二節為對被譽為“偉大的德意志中國人”的衛禮賢中國典籍翻譯傳播的借鑒與思考。第三節為對魯迅民俗描寫的英譯與傳播的借鑒與思考。借助並汲取這些成功的翻譯與傳播經驗，將有益於魯迅詩歌的翻譯與傳播的深化，進而促進中華文化典籍的對外翻譯傳播事業。

　　下編為魯迅詩歌英譯。本編按魯迅詩歌的類型分為三個部分：舊體詩、新體詩和民歌體詩。譯詩補充了此前的魯迅詩歌英譯的缺失部分，糾正了一些誤譯和錯誤。還對一些有分歧的值得探討的問題進行了思考。

　　在本著作的後記中作者指出：儘管本著作中的研究與魯迅詩歌的翻譯盡可能地做到全面、準確，但缺點錯誤在所難免。筆者願以自己的拙著拋磚引玉，為魯迅詩歌翻譯研究添磚加瓦。歡迎學界同仁與讀者朋友提出寶貴的意見，以利魯迅詩歌翻譯與研究的不斷完善與更廣泛的傳播。

上　　編

第　一　章

總論　魯迅詩歌英譯與世界傳播

　　儘管魯迅研究是當今中國文學走向世界的"顯學"，魯迅研究論著汗牛充棟，但對魯迅詩歌的研究還遠遠不夠，不管是對詩歌本身的意義研究，還是對其寫作的歷史背景和作用的研究都需要進一步發掘，特別是對魯迅詩歌的對外翻譯及其傳播研究可以說還是非常欠缺。這種狀況形成的原因是多方面的，但主要原因之一大概與魯迅生前從不以詩人自居，也不熱心於寫詩歌、也不收集整理自己的詩集有關。他的詩歌大多是應邀爲朋友題詞或在給親友的書信中附著的，這些信手沾來、然而堪稱一流的高超詩歌，大多是在魯迅去世後被整理出版的。

　　更爲重要的是，在魯迅留下的厚重的文字作品中、在他大量的談話和書信中，以及他以生命實踐的文學藝術事業中，都滲透著他獨到深刻的詩歌美學哲理，都閃耀著中國偉大詩人的風采。魯迅古文功底深厚，他的文學創作與翻譯，尤其是他的詩歌創作，都顯示出其中國傳統文化的深厚底蘊和對中國古詩詞形式的靈活廣泛、得心應手的運用與發揮。特別是他的詩作風格與中國楚辭的"憑心而言"一脈相承，他的"發憤抒情"表現的也正是中國歷代詩人的優秀傳統與氣魄。

研究魯迅的詩歌創作與翻譯，其中重要的一項內容便是要研究魯迅的詩歌美學思想理論。魯迅的詩歌美學思想和理論早在他青年時期的《摩羅詩力說》中就得到了系統的闡述。此後，在魯迅多年的論著、書信中，都有談及詩歌美學的論述散見。魯迅的詩歌美學理論與思想，是滲透在他的一生的文學創作和翻譯實踐中的，值得我們認真研究。

英語是世界上最普及的傳播語言，魯迅是中國走向世界的第一位現代作家，他的小說散文等的翻譯已經有了世界上多種語言的各種翻譯版本，但魯迅的詩歌英語翻譯本，至今國內外只有幾個不完全的版本，其中還有不少錯誤和誤譯，這些都應當得到分別的補充和糾正，魯迅的詩歌雖然數量不多，但內涵深刻，這就值得我們認真搜集整理補充資料、深入研究做進一步的發現。這些原因都促使筆者在魯迅詩歌翻譯領域做一探索。

第一節　魯迅詩歌概論

從魯迅對詩歌出版的不經意，可看出魯迅其實無意于戴上詩人的桂冠。但從他和中國古代大詩人屈原一樣的氣質和精湛的詩藝來看，魯迅又是無愧於中國一流的偉大詩人稱號的。魯迅的詩歌立意高潔，語言典雅凝練，選詞優美而又內涵豐富。魯迅詩歌的外在形式與內在思想內涵完美統一，堪稱詩壇經典。魯迅的詩歌承載著中國文化的精華和顯示著中國傳統知識份子的風骨。

但是遺憾的是，到目前為止學界對魯迅詩歌研究的開拓及對外翻譯宣傳還遠遠不夠。由此，對魯迅的詩歌及其翻譯傳播進行研究就是一項十分有意義的工作，魯迅詩歌及其翻譯傳播就是魯迅研究的一個有待進一步開掘的富礦。

一、魯迅詩歌的分類

研究魯迅的詩歌，首先應當搞清楚的問題包括魯迅詩歌創作的年代、分類、內容、藝術手法和美學價值等方面的問題。長期以來，對魯迅詩歌的年代、分類等方面都有著不同的分法，對其內容也有不同的理解，對魯迅詩歌寫作的篇數及其解讀更是有不同的見解和分析。在此，作者在歸納總結前期研究的基礎上，進一步對魯迅的詩歌進行細緻的整理分類、並就詩歌的創作年代及其內容、藝術手法、美學價值、翻譯傳播等幾個魯迅詩歌研究的重要方面進行自己的思考與研究。

本章首先對魯迅的詩歌創作按照種類的不同進行梳理與論述。

魯迅一生寫了多少首詩歌呢？從魯迅文學創造的總數量來看，詩歌在魯迅一生的創作中分量很小。從目前出版的各種選讀本來看，魯迅最早的詩歌寫於 1900 年 3 月，那時二十歲的魯迅正在南京求學,在從家鄉度過寒假返回學校後,寫了組詩《別諸弟》三首寄託他的兄弟思念之情。魯迅一生中最後一首詩歌是寫於 1935 年 12 月贈送給許廣平的《亥年殘秋偶作》。從 1900 年到 1935 年的 35 年中,魯迅從英姿勃勃的熱血青年到以犀利文風爲人矚目的作家,他一生共創作了大約 66 題共約 81 首詩歌。若將魯迅的詩歌創作按詩歌形式劃分,可以分爲舊體詩約五十四題六十九首,新體詩和民歌體詩十二首。這些新詩是指從魯迅生活的時代就開始提倡的、有別於中國的傳統格律詩的新詩。魯迅的 12 首新詩是在 1918 年前後寫成的,它們包括常被人們提到的《夢》、《桃花》、《愛之神》、《人與時》《他們的花園》、《他》,還有仿古的打油詩《我的失戀》和《南京民謠》、《好東西歌》等歌謠體的新詩的話,還有不被人們重視的、忽略不計的《兒歌的"反動"》等,若再加上魯迅在他生命的晚期上個世紀 30 年代在左聯刊物《十字街頭》上發表的諷刺詩《公民科歌》、《南京民謠》、《言詞爭執歌》,魯迅的新詩歌數量就達十二首了。魯迅的現代詩是那個時代新詩的開拓之作,雖然這些詩歌的藝術性還不夠成熟,但它們的寫作意義卻是重大的。這些新詩若再細分,又可以分爲現代抒情詩 散文詩、打油詩等。這些更爲系統的魯迅新詩分類研究還有很大的開拓空間。本著作中按研究和翻譯的便利,將魯迅詩歌分爲以下幾個部分:

1.散文詩

魯迅的散文詩堪稱藝術精品,他的散文詩中影響最大的當為他寫於 1924 至 1926 年間的散文詩集《野草》。例如《野草》集中包括有他寫於 1924 年的《秋夜》，寫於 1925 年的《雪》，還有寫於 1925 年的《過客》、《這樣的戰士》和《立論》等都是膾炙人口的經典美文。中國的散文詩寫作的興起是由翻譯西方文學而學習引進，魯迅就是一個突出的代表。魯迅的散文創作為中國最早的優秀散文詩。《野草》的創作可以被看做是中國五四新文學散文詩創作的楷模和基石。從魯迅開始創作《野草》的 1924 年到現在，88 年過去了，我們或許仍然可以說，至今在中國文壇仍然沒有什麼人可以在散文詩的成就方面超過魯迅的《野草》。《野草》在選題的宏偉、立意的高遠、內涵的豐富與深刻、語言的優美、表現手法的獨特藝術等方面都堪稱一流。魯迅的散文詩無愧為中國一代偉大思想家、文學家的傳世之作，魯迅的詩歌是吸收中國傳統文化和向西方學習的通古今跨中西的融合創新的產物，它蘊含著一代大師深邃的思辨和透徹的洞察以及感人至深的人格魅力，所以說，對魯迅的散文詩怎麼高的評價都不為過。

分析和研究魯迅的散文詩《野草》，我們就可以看到，它不僅繼承和發展了我國古典詩歌的美學傳統，而且吸收了西方詩歌的創作元素。但由於篇幅所限，對魯迅的散文詩將另作論述。

2.舊體詩

魯迅一生中寫的舊體詩一共大約六十九首。魯迅的舊體詩創作是他詩歌創作中最為得心應手，輕車熟路的。但因為魯迅生活的年代正值中國文壇中革新派人物都提倡白話詩歌，魯迅那時也是以戰士的姿態，爲中國新詩的開拓而吶喊助威，所以魯迅的舊體詩實在是寫的很少。直到 1931 年柔石等左翼作家被害，魯迅在悲憤中沉靜，"積習"從悲憤的沉靜中"抬起頭來"，這時他的舊體詩隨著深邃的才思和悲憤的情感才噴湧而出。此後的幾年中，魯迅創作他的大部分的膾炙人口的舊體詩。這些詩歌連同本時期他的雜文等創作，都發揮著"匕首"和"投槍"的戰鬥作用，它們是那個腥風血雨時代的見證，這些詩歌抒發著魯迅對革命者的"愛的大纛"，樹立起一座座對於反動派的"憎的豐碑"，它們是魯迅文學寶庫中位於巔峰的閃著耀眼光輝的明珠。

　　魯迅的舊體詩凝煉含蓄，意境深遠，情感強烈，與中國歷史上的屈原、李白、杜甫等的佳作名詩一樣值得青史留名。魯迅的很多膾炙人口的詩句早已在中國家喻戶曉，廣爲傳頌。例如："橫眉冷對千夫指，俯首甘爲孺子牛"、"我以我血薦軒轅"、"無情未必真豪傑，憐子如何不丈夫"，"血沃中華肥勁草，寒凝大地發春華"，"心事浩茫連廣宇，於無聲處聽驚雷"等等。魯迅的許多舊體詩對中國讀者來說，是常讀常新，百讀不厭的。

3.新體詩

　　毫無疑問，魯迅是中國現代歷史中最早的新詩開拓者和支持者之一。儘管魯迅早在 1918 年就開始在《新青年》上發表新詩，但魯迅的新詩數量並不多，總計只有大約十二首。魯迅說過："我其實是不喜歡做新詩的 —— 但也不喜歡做古詩 —— 只因爲那時詩壇寂寞，所以打敲邊鼓，湊些熱鬧；待到稱爲詩人的一出現，就洗手不幹了。"[1]魯迅之所以這樣說，是因爲 1918 年的中國詩壇相對寂寞，那時魯迅不僅寫了中國當時第一篇白話文小說《狂人日記》，與此同時，還創作了新詩《夢》、《桃花》、《愛之神》、《人與時》《他們的花園》。這些詩歌大都在《新青年》雜誌上發表，具有相當大的影響力。此後魯迅還寫了表現追求新思想新理想的新詩《他》。魯迅的新詩還包括一九二六年發表的《而已集》中的題辭詩歌一首。此外，一九二四年的新打油詩《我的失戀》也可以歸爲新詩類。魯迅的這些新詩信手拈來，風趣幽默、平和易懂、寓意深刻，他的這些風格獨特的新體詩歌與他同時代的雜文一樣抨擊譏諷社會黑暗。魯迅的新詩既擺脫了中國傳統舊詩的格律束縛又有異于完全 "歐化" 的模仿照搬。他的詩歌以獨創的新形式開拓進取，或針泛時弊，或嬉笑怒罵，或熱嘲冷諷，實爲中國新詩的具有遠見卓識的開拓者。

　　魯迅在 1918 年前後寫了幾首新詩後，此後他的新詩就很少再問世了。這其中的原因眾說紛紜需要進一步的深入研究。從這時起直到他生命晚期的 20 世紀 30 年代，他才又在左聯刊物《十字街頭》上發表了新的諷刺詩《公民科歌》、《南京民謠》、《"言詞爭執" 歌》。魯迅的新詩歌雖然不多，但它們在中國新詩發展史上卻佔有十分重要的拓荒者的地位，魯迅的新詩是他的整個文學創作中一個不可分割的部分，具有十分重要的文學史意義。魯迅的這些新詩形式多樣，在當時新詩初創的時代，發揮了積極的革新實驗的作用，魯迅以自

---

1 魯迅：魯迅全集（第七卷）集外集·序言[M].北京：北京人民文學出版社，2005 年版，第 4 頁。

已新穎獨特的多種詩體創作，對中國新詩壇產生的廣泛持久深遠的影響是有目共睹的。魯迅的這些新詩創作同他的雜文一樣，或辛辣犀利，或諷刺幽默，或短小精悍，充滿別致新奇的比喻與想像。

魯迅的新體詩中的幾首民謠體的諷刺打油詩如《我的失戀》、《好東西歌》、《公民科歌》、《南京民謠》、《自嘲》和《"言詞爭執"歌》等也值得很好的研究。魯迅的這些諷刺詩為上個世紀 20 年代我國散文諷刺詩的發展起到了先鋒表率作用。他的《我的失戀》、《夢》、《人與時》、《南京民謠》、《好東西歌》、《公民科歌》、《"言詞爭執"歌》等為我國現代諷刺詩歌的開拓嘗試之作。

歸納而言，魯迅從 20 世紀初的 1900 年 3 月創作的舊體詩《別諸弟三首》算起起，到他去世前的 1935 年 12 月 5 日的《亥年殘秋偶作》止，魯迅共寫詩 66 題 81 首。他的詩歌形式多樣，例如古體、騷體、絕句、律詩、新自由體、民歌體等。魯迅的詩歌大多並非寫來為發表的，大多是後來從他的日記或書信中被發現或抄錄的。魯迅的這些數量不多形式多樣的詩歌在中國詩歌發展史上佔據著重要的經典位置。

二、魯迅詩歌創作的分期及內容

魯迅詩歌的內容涉及中國現代史上近半個世紀的滄桑變化，從清光緒年間到抗戰爆發前夕，其間戊戌變法、辛亥革命、倒袁運動、五四運動、北伐戰爭、"四一二"政變、反對蔣介石法西斯統治以及日本帝國主義侵華戰爭等等，這些重要時事在其詩作中都有所反映。從這個意義上說，魯迅的詩歌具有“詩史”的性質。而魯迅詩歌的“詩史”又是與他的“心史”相統一的。他的這些詩作清晰而形象地記錄了魯迅心靈的歷程，從他的詩歌創作中我們可以看到他從一個熱誠的愛國青年到激進的革命民主主義者，最後成爲堅定的左翼文化戰士的心靈演進過程。從這個角度上講，所以說魯迅的詩歌又是他的“心史”。

魯迅的文學創作始於詩歌。從 1900 年春寫《別諸弟三首》開始，到 1935 年底寫《亥年殘秋偶作》，詩歌創作幾乎貫穿了他的一生。具體來講，魯迅詩歌創作可分爲三個階段：從時間上看，可分爲早期、中期和後期三個階段：

（一）早期（1900-1912），即南京求學至辛亥革命前後。這一階段魯迅的詩作均爲舊體詩，涉及的社會面也有限不寬，作爲青年學子的魯迅，這時的思想還缺乏深度，詩歌技巧也較爲稚嫩。這一階段他的詩歌主要是抒寫早年的感時憤世之情或表現對高尚理想的追求。

（二）中期（1918-1926），即“五四”前夕至“五四”退潮期。這一階段偶有舊體詩作，但大多是新詩，從思想到形式顯然受到五四新潮及其詩風的影響。

（三）後期（1928-1935），即大革命失敗至 30 年代國民黨白色恐怖時期。這是魯迅詩歌創作的高峰期和成熟期，其作品主要是舊體詩，也有新詩與民歌體詩。這些詩作的基調是反映與國民黨反動派的艱難卓絕的鬥爭。魯迅的詩歌就其思想內容來說，可以大體分爲以下幾大類：

1.抒發對親友的真摯情懷

魯迅抒發感情的詩歌包括他對親情、友情、愛情的傾訴。這類詩歌是魯迅詩歌最重要的部分。魯迅自己所說的："蓋詩人者，攖人心者也。凡人之心，無不有詩。"[2]是他的抒情詩的最好解說。魯迅於 1900 年 3 月寫了抒發兄弟之情的《別諸弟》三首，就充分表現了魯迅作為大哥對遠在故鄉的兄弟們的思念之情。詩歌語言平和易懂，表達感情真摯，如："夜半倚床憶諸弟，殘燈如豆月明時"，體現了魯迅對弟弟們思念而夜不能寐的真情。又如："我有一言應記取，文章得失不由天"，則是魯迅對兄弟的關心和教誨。

《答客誚》一詩創作的起因是魯迅在會客時間，愛子海嬰兒調皮玩鬧，客人說他溺愛孩子而作。本首詩作體現了魯迅深厚的父子之情。"無情未必真豪傑，憐子如何不丈夫。知否興風狂嘯者，回眸時看小於菟。"短短四句詩中，魯迅用興風狂嘯的老虎也是疼愛自己的虎崽的比喻表現了他的愛子深情，同時回應了那些對魯迅疼愛孩子的譴責和非議。

魯迅對母親是十分孝敬的。魯迅自幼喪父，作為長子的魯迅很能體諒寡母作為一家的支柱獨立撫養幾個孩子的辛勞。從魯迅的詩歌我們也可以體察到他對母親的牽掛，例如魯迅寫於 1931 年 2 月的《無題》一詩。當時左聯作家紛紛被捕，魯迅也被謠傳失蹤，魯迅的母親焦急萬分。魯迅的這首詩歌是為悼念柔石等五位被殺害的左聯烈士而做的。詩句

---

2 魯迅：《魯迅全集》第一卷，熱風·摩羅詩力說，[M].北京：北京人民文學出版社，2005 年版，頁 70。

"夢裡依稀慈母淚，城頭變幻大王旗"就反映出魯迅對母親的深情與對母親焦慮心情的體諒。

　　魯迅與許廣平女士是由真愛而結合在一起的，因而他們之間的的情感是真正意義上的夫妻之情。在魯迅為數不多的詩歌創作中，寫給許廣平的詩歌有 1934 年 12 月 9 日的《題〈芥子園畫譜〉三集贈許廣平》，在詩中魯迅表現了他對許廣平的真誠的情感。詩句"十年攜手共艱危，以沫相濡亦可哀"是指從 1925 年到 1934 年的十年中，魯迅與許廣平在一起共度艱難歲月，甘苦與共的經歷。"聊借畫圖怡倦眼，此中甘苦兩心知"一句中的"畫圖"指魯迅送給許廣平的《芥子園畫譜》三集，據說魯迅認為這個畫集定價高了，對畫冊品質也不滿意，所以用了"聊借"一詞。意即姑且用來做閒書，在讀書、工作疲勞時翻翻休息放鬆一下。

　　魯迅非常重視朋友之情，他的多首詩歌都是寫給朋友的。寫於 1935 年 12 月的《亥年殘秋偶作》就是送給他的摯友許壽裳先生的，許壽裳對這首詩歌的解讀為："哀民生之憔悴，狀心事之浩茫，感慨百端，俯視一切，棲身無地，苦鬥益堅，於悲涼孤寂中，寓熹微之希望焉。"[3]魯迅還於 1933 年 12 月寫了《阻鬱達夫移家杭州》一首，就表現了這種情同手足的朋友之情。[4]在這首七言律詩中，首聯兩句詩"錢王登假仍如在，伍相隨波不可尋"是借用歷史上的事件來進行比喻。是說五代時期佔據浙江地盤建國的吳越王錢鏐雖然早已經死了，但他的勢力和影響仍然存在，而死後化為江上怒濤

---

3 許壽裳：我所認識的魯迅，北京：人民文學出版社，1978 年版，頁 56。
4 參見本書下編魯迅詩歌部分。

的伍員也還是逃不脫錢鏐的迫害與怒射，以至於"潮水避錢塘"。頷聯"平楚日和憎健翮，小山香滿蔽高岑"兩句是說杭州的山光湖色嬌弱秀麗令人沉溺，但這裡不是矯健的雄鷹展翅的地方，也沒有雄偉的高山挺立的氣勢。頸聯"墳壇冷落將軍岳，梅鶴淒涼處士林"兩句講了杭州西湖棲霞嶺下的將軍嶽飛的墓地淒涼冷落無人祭掃，而宋代志向高潔隱居西湖孤山的林處士的鶴塚也同樣被人遺忘荒蕪。詩歌最後兩句"何似舉家遊曠遠，風波浩蕩足行吟"是魯迅針對想去杭州做隱士的朋友郁達夫的規勸，希望他離開杭州"舉家遊曠遠"地遠走高飛，去經歷"風波浩蕩"的考驗，去享受自由吟詩的戰鬥生活。從這首情真意切的詩歌中，可以看出魯迅以詩來勸說朋友遷出杭州，不要被這裡的"平楚日和"的安逸和"小山香滿"的溫馨而消磨了鬥志成為一個庸俗的人，由此可見魯迅對朋友的深切關懷和愛護。

魯迅還有《悼丁君》和《悼楊銓》，以及《〈而已集〉題辭》等詩則表現了魯迅悼念亡友的悲憤之情。如：從《悼楊銓》一詩中可以體會到魯迅對亡友的懷念，以及對其犧牲的沉痛心情。"豈有豪情似舊時，花開花落兩由之"兩句表明魯迅一貫的"無懼於死"的大無畏英雄氣概，詩歌後兩句"何期淚灑江南雨，又為斯民哭健兒"，筆鋒一轉，想不到還是抑制不住淚雨滂沱，表現了對亡友被暗殺的巨大悲憤心情。詩歌表達情真意切，生動感人。魯迅寫師生之情的詩歌有：《吊大學生》、《學生和玉佛》等，喜怒哀罵皆成詩歌。

2.抒發民族豪情、愛國憂思及個人情感

　　詩歌是文人表達個人情感的有效工具。魯迅也善於寫各種題材的詩歌抒發個人的情感。例如魯迅寫於 1903 年 3 月的《自題小像》："靈台無計逃神矢，風雨如盤闇故園。寄意寒星荃不察，我以我血薦軒轅。"就是抒發赴日本留學的青年遊子對祖國的一片眷念之情，詩歌表達了詩人對祖國烏雲密佈災難重重的局勢的憂思，並表達了個人決心為祖國獻身的赤子情懷。

　　再如魯迅的擬古打油詩《我的失戀》寫於 1924 年。這首詩歌詼諧幽默，想必是用來抒發對當時國內盛行的無病呻吟的失戀詩的反感心情的。魯迅在本詩歌開頭寫到："我的所愛在山腰，想去尋她山太高"。這裡"山太高"暗示了與所戀物件的地位不同，所以失戀是必然的。詩中失戀的"心驚"、"糊塗"、"神經衰弱"都是詼諧幽默的寫法。最後"由她去罷"一句更是令人讀來開心一笑，並沒有當時常見的失戀詩中常見的要死要活的惋惜和呻吟。可見這首打油詩在詼諧幽默中對"我要死了"之類的失戀詩的否定和嘲笑。這正是魯迅嬉笑怒罵犀利文章風格在詩歌中的典型表現。

　　《自嘲》也是魯迅描寫自我困境的一首幽默的"打油詩"。"運交華蓋欲何求，未敢翻身已碰頭"句，抒發了詩人對個人困境的認識。"破帽遮顏過鬧市，漏船載酒泛中流"句加強了對白色恐怖的局勢嚴重的描寫。接下來魯迅用"橫眉冷對千夫指，俯首甘為孺子牛"一句表現了魯迅愛恨分明、特立獨行的人格魅力，他以"橫眉冷對"來自外界的攻

擊漫罵和世俗的嘲笑諷刺。而與此同時，他卻以滿腔的摯愛和熱忱來對待親友甘做低頭拉車的牛。"躲進小樓成一統，管他冬夏與春秋。"句顯示了魯迅在困境中沉著灑脫的性格。詩歌借景抒情，寓意於境，表現了詩人高超的詩歌藝術。再如魯迅作於 1934 年的新詩《報載患腦炎戲作》仍然採用他常用的諷刺幽默的風格，針對報紙上謠傳他得了腦炎的無聊事件，以戲謔的詩歌手法反擊謠言。詩句"橫眉豈奪娥眉冶，不料仍違眾女心。詛咒而今翻異樣，無如臣腦故如冰"顯示出魯迅磊落豪邁的詩人風骨。

3.揭露當時社會的黑暗和當局的殘暴和醜惡

魯迅這方面的詩歌有新詩《公民科歌》、《南京民謠》、《言詞爭執歌》等。舊體詩如魯迅創作於 1931 年的《無題（大野多鉤棘）》，就是揭露當時國內的黑暗形勢，憤怒地控訴國內的反動派對革命根據地的軍事"圍剿"和文化"圍剿"。描繪了這種反革命"圍剿"給中國人民帶來的災難及其文壇一片蕭條的悲慘後果。

再如寫於 1931 年 3 月的《湘靈歌》，就是魯迅對長沙事件中死難者的悲悼和哀思。在詩中魯迅對國民黨的暴虐進行了義憤填膺的強烈控訴，對當時的統治者粉飾太平的虛偽可恥嘴臉進行了無情地揭露與批判。

4.為中國革命的進步力量吶喊助威

魯迅的詩歌創作與他的雜文寫作一樣，為喚醒民眾而大聲吶喊。如魯迅寫於 1932 年 1 月的《無題(血沃中原肥勁草)》

之時，正值革命根據地粉碎了反動派的三次"圍剿"，魯迅在詩歌中熱情讚揚了人民革命鬥爭的喜人形勢，歌頌了革命戰士的鮮血澆灌培育了勝利的果實的革命大好形勢，並將革命根據地的大好形勢與國民黨內部"英雄多故謀夫病"的沒落淒涼做了對比和進行了辛辣的諷刺。

再如魯迅寫於 1934 年 5 月的《無題（萬家墨面沒蒿萊）》一詩。儘管當時國內的局勢為"萬家墨面沒蒿萊，敢有歌吟動地哀"，一片人民痛苦遭難的悲慘景象。但是詩人卻"心事浩茫連廣宇"，並且高瞻遠矚"於無聲處聽驚雷"，從蕭條景色中感悟到人民的力量，從萬籟無聲之中聽到了人民"動地哀"的滾滾"驚雷"就要到來，為即將到來的翻天覆地的革命大聲吶喊助威。

總之，魯迅無意做詩人，但他卻在無意之中成為一名超凡的歌手。魯迅的詩歌充滿對民族對國家命運的深切關注，對社會黑暗、對國民劣根性的深刻揭示和無情批判，飽含對祖國、對人民、對親友的深沉的摯愛，以及抒發了他個人的崇高的為祖國為人民的獻身精神和情感。魯迅詩歌中表現的獨立的人格、淵博的知識、開闊的視野，以及高超的詩藝，都值得我們深入研究，深刻領會其精神本質。

三、魯迅詩歌的藝術

魯迅的詩歌藝術博大精深，可以從不同的角度和採用不同的方法來分析研究，筆者從便於翻譯的角度進行了以下的幾個方面的分析：

1.獨特的風骨美

　　魯迅說："詩人者，攖人心者也"[5]，魯迅的詩歌創作雖然數量有限，但他的詩歌"其聲沏於靈府，令有情皆舉其首，如睹曉日，益爲之美偉強力高尚發揚"[6]，他無愧爲中國詩歌史上的最偉大的詩人與詩歌革新開拓的先驅者。楚辭爲我國浪漫主義詩歌的經典，楚辭對中國傳統文學藝術產生了重要的影響，而魯迅的詩歌創作就頗具楚辭遺風，魯迅的詩歌充分體現出楚辭的表現手法對其詩歌的影響作用。例如魯迅喜歡用騷體形式寫詩，他的詩歌中充滿著奇異的想像、生動的比喻和暗含的隱喻，中國傳統詩人的批判精神與針砭時弊的勇氣和膽略在魯迅的詩歌中都能找到。這在魯迅早期寫於1901 年 2 月的《祭書神文》中就看的很清楚。

　　所謂詩歌的"風骨"抽象概括起來可以說，是指詩歌所反映出來的詩人的獨特的風度、氣質、個性與力量。風，指的是詩歌所蘊含的情感、精神思想和道德氣質；骨，指詩人的氣質和意志。劉勰在《文心雕龍》裡對"風骨"（第二十八）的論說："《詩經》總六義，風冠其首，斯乃化感之本源，志氣之符契也。是以怊悵述情，必始於風；沈吟鋪辭，莫先乎骨。故辭之待骨，如體之樹骸；情之含風，猶形之包氣。結言端直，則文骨成焉；意氣駿爽，則文風清焉。"[7]它

5　魯迅：《魯迅全集》第一卷，熱風·摩羅詩力說，[M].北京：北京人民文學出版社，2005 年版，頁 70。

6　魯迅：《魯迅全集》第一卷，熱風·摩羅詩力說，[M].北京：北京人民文學出版社，2005 年版，頁 70。

7　周振甫：《文心雕龍注釋》，北京：人民文學出版杜，1981 年版，第 28 節。

的意思是說，《詩經》包括了六個組成部分，其中第一位的就是風。風是指詩人情感與氣質的根本。詩的抒情吟唱都要從風這個根本出發；而就構思措辭的語言表達來講，骨為更重要的。詩歌語言中骨的思想的不可缺少就如同人體離不開骨架的支撐一樣。詩歌中的長風一樣的力量，就像人體內的氣血運行一樣。語言若運用的恰當，詩歌的骨架就撐起來了；若表達出充沛的感情和高尚的氣質，詩歌的風才有力度並清晰可見。從劉勰的這段話中，我們可以理解什麼是詩歌的風骨，以及風骨在詩歌創造中的重要性。

　　而從魯迅詩歌的分析中我們可以看出，詩歌的風骨美是他的詩歌的重要特點，而風骨美的詩歌的源泉在於詩人心靈對真善美的思想情操的追求與堅守。進一步來說，詩歌的風骨美就是詩人的審美理想、審美情趣在其詩歌作品中的體現，它是詩人個性特徵和價值觀的體現。

　　在中國歷代詩歌中，詩人獨特的風骨美令人讚歎不已，如李白、杜甫等詩人的詩歌中永恆的風骨美令人神往。而在中國現代詩苑中，魯迅詩歌的風骨美特點鮮明，他是繼承、發揚、發展中國傳統詩歌創作風骨美的典範。這裡略舉例說明：如：魯迅於1901年除夕夜寫的《祭書神文》就充分體現了年僅二十一歲的青年詩人魯迅獨特高潔的風骨之美：在新年除夕夜，人們都要擺上各種祭品供奉財神，以祈禱新的一年發財致福。但魯迅在除夕夜不是祭拜財神而是寫了《祭書神文》一詩來表現自己的高潔志趣和理想追求。全詩文采飛揚，托物言志，超凡脫俗的風骨之美令人讚歎不已。例如詩中對書神的讚美："湘旗兮芸輿，挈脈望兮駕蠹魚。君之來

兮毋徐徐，君友漆妃兮管城侯。向筆海面嘯傲兮，倚文塚以
淹留。"[8]書神的逍遙與高潔令人神往。而詩人的高潔的風骨
美也反映在他對錢奴的鄙視上："俗丁儈父兮爲君仇，勿使
履閾兮增君羞。"對比高尚的書神，這些逢年過節跪拜祈求
發財的凡夫俗子們就顯得多麼俗不可耐，自然不能允許他們
踏進詩人的門欄。"若弗聽兮止以吳鉤，示之《丘》《索》棘
其喉"是說假如這些錢奴不聽從硬要進來的話，就用知識來
難爲他們，這些錢奴們不學無術，一定讀起古典經文來如鯁
在喉、羞恥難當。這是詩人運用豐富的想像力對那些唯利是
圖的錢奴的辛辣嘲諷。

　　再如在一九〇〇年秋，魯迅的詩歌《蓮蓬人》更是體現
了詩人高潔淡雅的風骨美。魯迅在這首詩中，借物比人、托
物言志："芰裳荇帶處仙鄉，風定猶聞碧玉香。鷺影不來秋
瑟瑟，葦花伴宿露瀼瀼。"[9]詩人描繪了蓮蓬身著芰葉的綠色
衣裳，系著荇草的紫色飄帶的瀟灑仙風，在秋風瑟瑟、霜露
瀼瀼的季節中，當百花凋零、鷺影不見的秋天，只有蓮蓬仍
然是芬芳幽遠、生機盎然的如碧玉般的青綠。"掃除膩粉呈
風骨，退卻紅衣學淡妝。好向濂溪稱淨植，莫隨殘葉墮寒塘"
句更是讚美了蓮蓬高潔的氣質和她傲世忌俗、不懼秋寒的風
骨美，而蓮蓬的象徵意義在於讚美詩人所崇尚的高潔、優雅、
堅毅的人格。

8　見本書下編魯迅詩歌部分。
9　同上。

2.真摯的情感美

　　詩歌藝術作品中的情感必須是真實的才能夠感動讀者。魯迅對詩歌所表達的真實情感有過這樣的論述："詩歌是本以抒發自己的熱情的，發訖即罷；但也願意有共鳴的心弦——。"[10]可見詩人只有將自己的真實情感融入作品中去，才有可能引起讀者的共鳴。魯迅還曾經說："文學的修養，決不是使人變成木石，所以文人還是人，既然還是人，他心裡就仍然有是非，有愛憎；但又因爲是文人；他的是非就愈分明；愛憎也愈強烈。"[11]他還說過"他唱著所是，頌著所愛，而不管所非和所憎；他得像熱烈地主張著所是一樣，熱烈地攻擊著所非，像熱烈地擁抱著所愛一樣，更熱烈地擁抱著所憎。"[12]研究魯迅的詩歌創作，可以感受到他的每一首詩歌，都正如他的對詩歌的論述一樣愛恨分明，他的真愛如火一般熾烈，他的憎恨如箭一樣鋒利。他的質樸熾烈的情感是他的詩魂，凝結著真善美的高尚人格，表現著堅強的意志力。

　　魯迅詩歌的情感美首先表現在青年時代的作爲兄長的魯迅對胞弟的思念中，例如他 1900 年在南京讀書時，假期返校後的詩作《別諸弟三首》。詩歌中"還家未久又離家，日暮新

10　魯迅：《魯迅全集》第 7 卷，《詩歌之敵》[M].北京：北京人民文學出版社，2005 年版，頁 248。
11　魯迅：《魯迅全集》第 6 卷，[M].北京：北京人民文學出版社，2005 年版，頁 347。
12　魯迅：《魯迅全集》第 6 卷，[M].北京：北京人民文學出版社，2005 年版，頁 348。

愁分非加"句反映了他的思鄉之情，"夾道萬株楊柳樹，望中都作斷腸花"句更是把他的無限思念進行擬人化的昇華藝術處理，在他的對故鄉的思念中沿途的萬千楊柳都化爲悲痛的斷腸花，這種描寫形象生動，別有一番深刻的含義。而"我有一言應記取，文章得失不由天"句則表現了作爲兄長的魯迅對胞弟的手足之情及囑託與深切希望。

魯迅寫於 1903 年的《自題小像》，就充分表達了青年魯迅的一腔愛國熱忱。詩歌開頭句"靈台無計逃神矢，風雨如盤暗故園。"是詩人對祖國大地黑暗形勢的憂思與控訴。"寄意寒星荃不察，我以我血薦軒轅"兩句是詩人將自己對祖國的深厚情感托寒星轉達，即使暫時不被理解，也絲毫不能動搖詩人對理想和信念的堅強信心。"我以我血薦軒轅"句是詩人爲處於災難之中的祖國獻身的豪邁誓言。再如魯迅寫於 1931 年的《慣於長夜》一詩，也是詩人真摯情感表達的例證。"忍看朋輩成新鬼，怒向刀叢覓小詩"句表達了詩人對遇難戰友的深沉哀悼、對敵人的憎恨和對用筆作戰的堅強信心。在《悼楊銓》一詩中："何期淚灑江南雨，又爲斯民哭健兒"更是生動再現了詩人對楊銓之死的悲慟，詩人本想把悲痛深埋心中，但想不到他還是止不住滂沱淚雨傾盆，爲失去一位中華民族的好健兒而悲痛不已，詩句真誠動人，充滿了憤慨悲壯之美。

3.高雅的文采美

魯迅對中國語言的駕馭，對詞語藝術的把握，都達到了超凡脫俗爐火純青的藝術高度，形成了他自己的獨具風格的文采美。正如《文心雕龍·征聖》中說，"精理爲文，秀氣成采。"《文心雕龍·總術》第四十四中還說：〝文以足言，理兼《詩》《書》〞[13]，可見詩歌要講究語言的聲律、措辭、對偶，注重語言的色彩美、聲音美、修飾美，這就是講究詩歌的文采美。

從魯迅的詩歌創作，可看到他是非常重視詩歌的文采美的。魯迅的詩歌，特別是他的舊體詩中體現了堪稱一流的文采美，魯迅的許多詩句早已成了家喻戶曉、膾炙人口的名言警句，久傳不衰。例如："無情未必真豪傑，憐子如何不丈夫"、"橫眉冷對千夫指，俯首甘爲孺子牛"等等。魯迅的律詩有約14首，絕句約有25首。這些律詩格式嚴格、對仗工整。膾炙人口的傳世警句比比皆是。魯迅詩中的文采美還體現在他韻律的和諧、典故的巧用、對偶的整齊、雙關語、幽默反諷語、諧音和比喻等等詩歌技藝的高超運用上。魯迅的精美詩句值得我們用心來讀，才能領略其中所蘊含的雄偉的震撼人心的力量，和他的無與倫比的文采美。這些有待在翻譯一章進行比較與論說。

四、魯迅的詩歌美學價值

魯迅的詩歌美學思想及其論述涉及到的方面是很多的，具有相當大的研究開拓價值。本著作僅從以下三個重要方面進行歸類概括。

13　周振甫：《文心雕龍注釋》，北京：人民文學出版社，1981年版。

1.“真切、深刻”的作品來源於生活

對於詩歌的起源，魯迅曾有過生動的描述。在他 1924年寫的《中國小說的歷史的變遷》一文中寫道：詩歌的產生“其一，因勞動時，一面工作，一面唱歌，可以忘切勞苦，所以從單純的呼叫發展開去，直到發揮自己的心意和感情，並偕有自然的韻調；其二，是因爲原始氏族對於神明，漸因畏懼而生敬仰，於是歌頌其威靈，讚歎其功烈，也就成了詩歌的起源。”[14]魯迅還將勞動人民在扛木頭時發出的號子聲稱爲“杭育杭育派”的詩歌創作。[15]魯迅認爲文學文藝家只有深入到現實生活的“漩渦”中去，去觀察、去體會、去熟悉生活之後，才會寫出真實感人的文學作品來。

魯迅絲毫不輕視來自民間大眾的文學藝術創作，例如魯迅曾高度評價那些“不識字的詩人”創作的“民謠、山歌、漁歌等”。魯迅肯定這些民間的創作“剛健、清新”、是“新的養料”。而“舊文學衰頹時，因爲攝取民間文學或外國文學而起一個新的轉變，這例子是常見於文學史上的”。[16]

2.詩歌的性質及創作原則

魯迅說：“詩人感物，發爲歌吟，吟已感漓，其事隨訖”

14　魯迅：《魯迅全集》第 9 卷，《中國小說的歷史的變遷・從神話到神仙傳》，[M].北京：北京人民文學出版社，2005 年版，頁 321。
15　魯迅《魯迅全集》第 6 卷，[M].北京：北京人民文學出版社，2005 年版，頁 96。
16　魯迅：魯迅全集》第 6 卷，[M].北京：北京人民文學出版社，2005 年版，頁 97。

[17]1925 年，魯迅針對當時文壇“聽說前輩老先生，還有後輩而少年老成的小先生，近來尤厭惡戀愛詩”的現象，[18]發表了他深刻而幽默的見解：“從我似的外行人看起來，詩歌是本以發抒自己的熱情的，發訖即罷，但也願意有共鳴的心弦，則不論多少，有了也即罷；對於老先生的一聲戾，殊無所用其慚惶”[19]由此可見，魯迅認爲詩歌首先是抒發情感的，是爲引發心與心的共鳴的。魯迅詩歌在抒發個人情感方面的成功與他的理論是一致的。

但是魯迅還認爲詩人在 “感情正烈的時候”卻是“不宜做詩”。[20]這是因爲魯迅認爲當詩人面對事件情感“激烈”時草率做詩，容易因自己的情感“鋒芒太露”，而破壞了詩美。魯迅認爲若使詩歌“情隨事遷”，就會使詩歌“味如嚼蠟”。由此，我們可以體會到魯迅“詩美”的標準：詩歌是可以有高雅與粗俗、含蓄和膚淺之分的。好的抒情詩絕非感情的簡單直白外露，而是經過凝練、昇華後的藝術表現。這裡不僅有一個審美距離的問題，而且有一個文野之別。

3.詩歌的形式美

在中國近現代新詩發端的時期，新文學的先驅們在他們

---

17 魯迅：《魯迅全集》第 9 卷，《漢文學史綱要》[M].北京：北京人民文學出版社，2005 年版，頁 353。
18 魯迅：《魯迅全集》第 7 卷，《詩歌之敵》，[M].北京：北京人民文學出版社，2005 年版，頁 248。
19 魯迅：《詩歌之敵》，同上。
20 魯迅：《魯迅全集》第 11 卷，《兩地書》，[M].北京：北京人民文學出版社，2005 年版，頁 99。

厚重的中國傳統文化學養的肥田沃土上創新發展，以其博古通今、中西貫通的優勢，對中國新詩的改革創新不僅從理論上進行探討，例如對"自由體"詩歌的"形式制約"的嘗試，力圖從詩歌理論上進行歸納總結，而且身體力行，以自己的詩歌創新實踐來為理論提供基礎。魯迅就是他們中的一位傑出的代表。

由於當時的新詩作者都是一些接受西方先進思想的年輕人，文學創作經驗不足，文學理論功底也比較薄弱，魯迅以自己的新詩思想和詩歌實踐為他所生活時代中國的新詩變革提出了具體的原則，為新詩的形式創立提出了建設性的意見。但由於當時還有一些人視自由詩為逃避嚴格的傳統語言訓練的"避難所"，以至於一度出現"濫自由化"和過度"西化"的詩歌創作傾向。正是在這種情況下，魯迅提出了關於新詩形式美的問題，並以自己的新詩創作實踐來進行認真的新詩形式的探索。魯迅提出的新詩形式美的精闢論斷，為中國新詩的健康發展提供了寶貴的借鑒和參考，魯迅的這些新詩創新理論與實踐具有重要的歷史意義。

魯迅是中國現代新詩壇"詩體解放"運動最早的提倡者和實踐者之一，他是中國新詩運動的積極探索者和開拓者。關於詩歌的形式美，魯迅的看法是"詩歌雖有眼看的和嘴唱的兩種，也究以後一種為好；可惜中國的新詩大概是前一種。沒有節調，沒有韻，它唱不來；唱不來，就記不住，記不住，就不能在人們的腦子裡將舊詩擠出，占了它的地位。"[21]因

---

21 魯迅：《魯迅全集》第 13 卷，《書信集‧致竇隱夫》，[M].北京：北京人民文學出版社，2005 年版，頁 249。

此，他希望詩歌"內容且不說，新詩先要有節調，押大致相近的韻，給大家容易記，又順口，唱得出來。但白話詩要押韻而又自然，是頗不容易的"[22]。魯迅還說過："詩須有形式，要易記，易懂，易唱，動聽，但格式不要太嚴。要有韻，但不必依舊詩韻，只要順口就好"[23]

中國新詩是在繼承中國古體詩的基礎上發展而來的。沒有中國古體詩的底蘊，就沒有魯迅新詩的創作。魯迅的古體詩和新詩互為依存，交相輝映，以其"精神界之戰士"的雄姿和典範，堅實地佇立在中國詩壇上。中國近現代詩歌歷史的發展證明：中國詩壇在 1919 年的五四運動中出現的白話新詩，開拓出具有源遠流長的詩歌傳統的中華民族的詩歌新時代，魯迅在這個劃時代的詩歌運動中，熱情支持並身體力行地為中國新詩運動鳴鑼開道，熱情促生中國新詩的發展，為中國詩壇發出"美偉剛健"之聲而吶喊助威。但與此同時，魯迅並非完全排斥舊體詩，而是以他自己的多種詩歌形式的創作實踐表明：中國詩歌的優秀傳統和豐富的形式仍然可以被一代新詩人所繼承發揚之。

魯迅的詩歌，以其形式的多樣化，風格的新穎，以自己不同凡響的詩風詩德，高屋建瓴、拓展開拓，為中國新詩的創新與發展、為青年一代詩人的成長與進步、為中國詩學的繼承與發展，樹立了典範，做出了不可磨滅的貢獻。如今，魯迅已經成為中國走向世界的屈指可數的最偉大的作家之

---

22 魯迅：《致竇隱夫》1934。同上。
23 魯迅：《魯迅全集》第 13 卷，《書信集·致蔡斐君》，[M].北京：北京人民文學出版社，2005 年版，頁 552。

一，而他的詩歌創作就是他文學創作寶庫中的最耀眼的明珠。要論說中國現代文學不可不談及魯迅，同樣，國人只要談論中國新詩運動，就不可避免地要談"魯迅"的詩歌創作及其作用。

　　魯迅的詩歌理論還有多方面的內容值得研究，例如：詩歌的作用、詩歌的繼承與發展、詩歌的借鑒與創新、詩歌的創作靈感等方面都有進一步開拓研究的空間。

第二節　魯迅詩歌英譯概述

　　魯迅是在海外最具經久不衰名望的偉大的中國作家之一。魯迅文學作品各種語言的翻譯早已遍佈全球。但相對於魯迅的小說翻譯傳播來說，魯迅的詩歌翻譯數量還很少，並存在許多亟待解決的問題。本節從魯迅詩歌英譯的概況、魯迅詩歌英譯的問題探討，以及魯迅詩歌英譯的世界傳播意義三個方面進行論說。

　　2011 年 9 月 25 日是魯迅誕辰 130 周年紀念日。在過去的一個世紀裡，中國有幸誕生了魯迅這樣的偉大思想家、文學家和翻譯家。自上個世紀初日本報刊報導周氏兄弟的翻譯小說起，世界對魯迅的關注和研究已經越來越多。魯迅是中國的驕傲，他不僅屬於中國而且屬於全世界。他不僅活在 21 世紀中國人的心中，他的影響力還正在漂洋過海向整個世界廣為傳播。如今，魯迅的小說雜文已經有了多達 50 多種各國文字的翻譯本，魯迅作品的讀者遍及全球。隨著作品的翻譯和傳播，魯迅已經被世界上許多國家和人民視爲與莎士比亞等西方作家齊名的偉大作家。

　　然而相對於魯迅的小說翻譯傳播，魯迅的詩歌翻譯數量還很少。但魯迅的詩歌是他文學創作的精華所在，是魯迅研究的一個有機組成部分，具有重要的現實意義和獨特的翻譯與研究價值。

　　魯迅自幼就飽讀詩書，深受中國傳統文化教育，他的詩歌創作是中國傳統文化長期薰陶的結果，特別是楚辭對魯迅詩歌影響很大。魯迅的詩歌不僅繼承了愛國詩人屈原詞賦的韻味，他還和屈原一樣，表現了高度的愛國心和對待惡勢力剛正不阿的高貴氣質。魯迅的詩歌繼承了中國詩學的優秀傳統，同時還吸收了西方現代詩歌的精華，在此融合的基礎上，魯迅"取今復古，別立新宗"[24]，創造出風格獨特的精美詩篇。魯迅的詩歌開拓出中國新詩發展的道路，他的詩歌創作不僅在詩歌理論，還在詩歌創作主題、風格、詩歌創作技法與詩歌規範等方面，都爲中國新詩的創作提供了寶貴的經驗和借鑒，值得我們認真學習和研究。魯迅詩歌的英語翻譯和世界傳播，將爲中國文化發揚光大並自立於世界民族文化之林發揮典範作用。

　　據統計，魯迅從 1900 年二十歲時寫詩到 1936 年逝世，一生共創作了 81 首詩歌，其中包括舊體詩約 68 首，現代詩約 13 首。[25]魯迅的詩歌一經發表，就得到他生活時代的學界

24　魯迅：《文化偏至論》，《魯迅全集》第 1 卷，人民文學出版社，2005 年版，頁 57。
25　此資料爲筆者通過閱讀魯迅不同版本的詩歌統計出來的數字。

重視和讀者喜愛。這些詩歌不少都是附寫在給友人的書信中的。魯迅寫詩信手拈來，或深奧、或辛辣、或幽默、或抒情，但都淋漓盡致地表達了作者對人對事的真實情感與鮮明的處世態度。從魯迅生活的年代開始，就有讀者不斷地研究評論魯迅的各類作品，隨之也有各種語言的對外翻譯介紹，但相對於魯迅小說對外翻譯的盛況，魯迅詩歌的對外介紹便顯得頗為冷清，其翻譯的品質也有待進一步提高。

一、魯迅詩歌英譯概況

　　一個世紀以來的歷史已經證明，魯迅是海外最具盛名的中國作家之一。魯迅文學作品各種語言的翻譯早已遍佈全球，世界各國的高等院校只要設有漢學專業，只要開設中國文學課就必講魯迅。筆者近年在澳大利亞做訪問學者期間，瞭解到悉尼大學和新南威爾士大學的中國研究專業都有魯迅研究的研究生專題講座或課程。在國外，不少研究中國的西方學者談中國必談魯迅，由此可見魯迅在世界的巨大影響力。

　　學習研究和翻譯魯迅的文學作品，自然要學習研究翻譯魯迅的詩歌。遺憾的是，魯迅的詩歌翻譯在海外還不多見。這主要是因為魯迅的詩歌大多是舊體詩，這些詩歌裡有很多典故和古語的運用不易理解和翻譯。翻譯不易，翻譯文學更不易，翻譯魯迅的詩歌就更加不易了。另外，儘管魯迅善長於採用中國傳統的詩詞格律作詩，又能夠嫻熟地自由表達自己的思想與情懷，爐火純青地創造出優秀的現代舊體詩，但魯迅生前並不重視發表自己的舊體詩作。魯迅最早的詩歌是

1900 年 20 歲時寫的《別諸弟》組詩三首，但第一本《魯迅詩集》是遲至 1941 年才由奚名編輯出版的。新中國成立後，舊體詩詞不被宣導，故魯迅的詩詞研究也受到限制。後來魯迅的詩詞研究曾一度多起來，但並沒有如同魯迅的小說雜文那樣受到關注。加之魯迅的詩歌數量較之他的小說和雜文要少的多，這些原因都造成長期以來對魯迅詩歌研究的力度不夠。所以可以說，儘管魯迅的詩歌堪稱一流藝術精品，但對其的研究特別是翻譯介紹還遠遠不夠，這就直接影響了魯迅詩歌在世界的廣泛傳播。

儘管研究介紹不夠，但魯迅的詩歌因其內在的魅力，一經發表就受到讀者的喜愛，魯迅的詩歌翻譯也幾乎是伴隨著魯迅的詩歌創作就同時開始的。然而至今就魯迅詩歌的英語翻譯與研究來說，雖然已經有了不同的幾個版本，仍有很大的拓展研究與翻譯空間。

目前國內外出版的魯迅詩歌英語翻譯版本主要有以下幾種：楊憲益夫婦於一九六四年翻譯由北京外文出版社出版的《魯迅選集》，其中就有魯迅詩歌的翻譯。一九七三年戴乃迭（Gladys Yang）翻譯、由英國倫敦牛津大學出版社出版發行的《魯迅作品選》也選有魯迅的詩作。[26]中國外文出版社 2000 年 9 月出版的英漢對照本《魯迅詩選》，英文翻譯為英國學者詹納爾（W.j.F.Jenner）。他將譯詩分為舊體詩、新體詩、民歌體詩幾部分，選譯的詩歌共有 40 首。[27]中國學者黃新渠翻

---

26 見許淵沖：喜讀《魯迅詩歌》英譯本，外國語言與教學，1981 年第三期，頁 42。

27 W.J.F.Jenner：Lu Xun Selected Poems 外文出版社 2000 年 9 月版。

譯的《魯迅詩歌》於 1979 年由香港三聯書店出版發行，其中包括 42 題 50 首魯迅詩歌的翻譯。[28]吳鈞陶譯注的《魯迅詩歌選譯》於 1981 年由上海外語教育出版社出版發行，其中包括譯詩 44 首。[29]

　　本人於近年去澳大利亞悉尼大學訪學，有幸與在澳大利亞新南威爾士大學任教的美國漢學家寇志明（Jon Kowallis）博士會晤，並就魯迅作品的研究與翻譯進行了學術交流。寇志明在他的《全英譯魯迅舊體詩》（The Lyrical Lu Xun）一書中對魯迅的 64 首舊體詩進行了新的研究解讀和翻譯。除此之外，在歐美國家還有其他一些魯迅詩歌翻譯的問世，例如有捷克布拉格大學奧爾加·洛莫娃（Olga Lomova）所著的《詩人魯迅：魯迅舊體詩研究》，有美國鄂亥鄂州大學陳穎的《魯迅詩歌全譯》。一九七五年美國印第安那大學出版的中國詩選中也選有魯迅的詩歌，但這些譯詩版本在中國大陸市面上很難見到。由於魯迅詩歌翻譯版本的稀少，魯迅詩歌在國外的影響也就可想而知。

二、魯迅詩歌英譯的問題探討

　　魯迅詩歌得到中外讀者的喜愛源於其詩歌的神韻及高超的詩歌技藝。魯迅的詩歌和他的小說創作一樣，是作者生命哲學的高度概括和凝練。由此，要做好魯迅詩歌的翻譯，首

28　見黃新渠：中國詩歌英譯的探索 —— 翻譯《魯迅詩歌》英譯本的體會，《中國翻譯》1986 年第一期。

29　吳鈞陶：《魯迅詩歌選譯》，上海外語教育出版社，1981 年 7 月版。

先要從精神意義的高度對其詩歌進行全面的歷史的詳細解讀，透徹理解以探究魯迅詩歌中所蘊涵著的深刻的思想內涵。分析研究現有的魯迅詩歌英譯版本，發現目前已出版的這幾種翻譯注釋本都不同程度地存在著一些問題。就魯迅詩歌的豐富內涵和精湛的詩藝來說，這幾個譯本還遠遠不夠，譯界同仁須繼續努力深入探究，推出更好的魯迅詩歌翻譯精品。目前魯迅詩歌翻譯中存在的需要探討的問題可歸納為以下幾種：

1.背景理解的差異

要翻譯好魯迅的詩歌，首先要正確理解其詩歌的內在含義。分析對比魯迅同一首詩歌的不同翻譯，可以使我們看到理解的至關重要性。例如《自題小像》是魯迅寫於 1903 年的一首舊體七言絕句詩，詩歌表現了青年魯迅一腔熱血報效祖國的崇高理想情懷。詩歌只有短短四句，但其中不僅有古詞和漢語典故，還有西方文化典故。[30]如詩句中的"靈台"、"神矢"、"風雨"、"故園"、"寒星""軒轅"等都有其特定的隱喻和典故，這對於不同文化背景下的譯者，就有著不同的理解和截然不同的譯法。

在英國學者詹納爾的譯文中，"靈台"直接就譯為"tower"（塔、城堡），"神矢"譯為"the gods 'sharp arrows"（上帝的利箭），他把詩歌最後一句中的"軒轅"譯為"the Yellow Emperor"（黃帝）。[31]在美國學者 Jon Kowallis

---

30 魯迅：《魯迅全集》第七卷，人民文學出版社，2005 年版，頁 447。
31 W.J.F.Jenner: Lu Xun Selected Poems，外文出版社 2000 年 9 月版，頁 5。

的翻譯裡，他將"靈台"譯爲"the spirit tower"，而把"軒
轅"直接按發音譯爲"Xuan Yuan"，再加上一個解釋性的同
位語"our progenitor"（祖先）[32]。

在中國學者黃新渠的譯文中，他根據"靈台者，心也"
的解釋，將"靈台"譯爲"my heart"（心），而將"神矢"
譯爲"the arrows of Cupid"（愛神丘比特之箭），"軒轅"
則譯爲"homeland"（祖國）。[33]

將上述三種譯文進行對比，可見黃新渠的譯文比起英美
學者的翻譯選詞更准，讀起來更令人感受到原作的神韻。這
是因黃新渠爲中國人，比起西方人士來說，他更能理解魯迅
寫詩時的歷史背景和感受詩人寫詩時的心情，加之黃譯還注
意下功夫反復推敲正確選詞，尋找合適貼切的表達方式，故
他的譯文比起西方人士的譯文更爲上乘。而中國學者許淵沖
的譯文，又有他自己不同的理解。例如他把"神矢"譯爲
"arrows of Gods of Rain"（風雨之神），"軒轅"則譯爲
"our nation grand"[34]，（偉大民族）自然是由於他對原詩另
一種不同的理解的結果。

從上述譯詩的對比中可以看出，好的翻譯首先要理解吃
透原詩精神，這是保證翻譯能夠忠實于原詩的第一步。也就
是說，翻譯詩歌的關鍵在於譯者對原詩深刻的理解。翻譯者
對原著的理解越深刻，對詩歌創作的背景越瞭解，就越有可

32 Jon Kowallis: The Lyrical Lu Xun, University Of Hawaii Press, 1996, P.102。

33 黃新渠：中國詩歌英譯的探索 —— 翻譯《魯迅詩歌》英譯本的體會，《中國翻譯》1986 年第一期，頁 30。

34 許淵沖：喜讀《魯迅詩歌》英譯本，《外語教學與研究》1981 年第三期，頁 47。

能把握住詩歌的主旨，正確再現原詩歌的思想精神，在充分理解的基礎上精心推敲選詞，才能夠翻譯好魯迅的詩歌。

除此之外，還由於魯迅詩歌翻譯界缺少交流，對魯迅詩歌鑒定也存在不少分歧。例如有人將魯迅 1924 年在《"說不出"》一文中批評的那種無病呻吟的所謂 "我說不出" 的詩也列爲魯迅自己的詩歌創作進行了翻譯。諸如此類的魯迅詩歌翻譯中存在的問題都有待譯界同仁共同探討深入研究，以求準確的魯迅詩歌英譯。

2.典故隱喻的處理

中西各國語言文化中都有很多象徵、隱喻、典故以及約定俗成的詞語和慣用表達法，這些都是各民族文化的歷史積澱，蘊含著深刻而豐富的含義，翻譯中不可不注意這些語言現象。隱喻和典故的理解與翻譯正是翻譯魯迅詩歌的一個難點，魯迅舊體詩的藝術特色之一就是典故的嫻熟運用。典故的使用使得他的詩歌更爲精彩含蓄耐人尋味，然而也更加不易被理解和翻譯。用魯迅提倡的直譯方法來翻譯魯迅的詩歌，固然是一種好的翻譯方法，但要注意不同文化背景下的典故和隱喻的習慣表達方式和譯入語讀者的接受能力。例如：魯迅寫於 1901 年的《祭書神文》是一首風趣幽默的騷體詩。[35]魯迅借用楚辭《離騷》的 "兮體"，出神入化地應用《九歌》祭禮香草香木的意象，生動形象地來描寫了書神的聖潔，表達了祭祀人的高尚情操。例如寫書神的高潔用 "湘

---

35 見阿袁箋注《魯迅詩編年箋證》，人民出版社，2011 年 1 月版，頁 27。

旗兮芸輿，挈脈望兮駕蠹魚"。這裡詩人用淺黃色綢質地的"湘旗"和用香草裝飾的稱作"芸輿"的車來描繪書神駕到時的威嚴陣容。寫祭奠書神的讀書人以"寒泉兮菊菹，狂誦《離騷》兮爲君娛。"這裡的"寒泉"和"菊菹"爲清貧讀書人邀請書神所備置的薄酒和蔬菜。它雖然比不上富人祭祀用的貢品奢華，但卻高雅清淡更合書神的口味。魯迅的這首詩表現了作者身居困境卻不甘沉淪的高潔志向和寬廣胸懷，詩歌充滿了豐富奇特的想像和華美典雅的用詞，充分顯示了詩人高超的詩藝。但對於翻譯者來說，也提出了更高的理解與表達的要求。

魯迅的《祭書神文》在美國漢學家 Jon Kowallis 的譯本中找到了相應的英譯，[36]但在其他幾個選譯本中都沒有見到。Kowallis 博士的譯本不僅有詩歌背景介紹，還有漢字注音，可見他對譯書下了很大功夫，但仍然有不盡人意的翻譯。例如：詩中"脈望"、"漆妃"、"管城侯"都是約定俗稱的典故，運用這些典故爲詩歌添彩，使詩歌文采飛揚，讀起來耐人尋味妙趣橫生。但如何把它們譯成同樣精彩的英語，並且使西方讀者產生與漢語讀者一樣的愉悅感卻並非易事。在 Kowallis 的譯本中，這些擬人化的充滿中國文化氣息的片語分別爲直譯爲："Mai Wang"、"Concubine of Black"、"Once-Ennobled Pen"，這樣的翻譯選詞值得再推敲。此外，對這些典故必須加詳盡的注釋，否則譯入語讀者就不會品嘗到原汁原味的魯迅詩歌的精美，遺憾的是本翻譯及注釋

---

36 Jon Kowallis: The Lyrical Lu Xun, University Of Hawaii Press, 1996, P.78.

均不盡人意。再如：魯迅原詩中"俗丁儈父兮爲君仇"句中，"儈父"是指鄙夫、庸俗卑賤之人。Kowallis 譯爲 "Old Man Simpleton" 與詩歌原意不符。再一，原詩句 "若弗聽兮止以吳鈎，示之《丘》《索》兮棘其喉" 本書直譯爲 "the very words shall pierce their throats" ，也顯不妥，因爲魯迅的原意不是用武器真的刺其喉嚨，而是指拿《丘》《索》這樣的古書讓這些卑賤的錢奴來讀，他們讀不出來就如同喉頭有棘刺一樣的難受。由此可見，若想翻譯好魯迅的詩歌，必須對中國的文化典故做深入的瞭解。Kowallis 博士作爲一個外國人，譯文儘管不是盡善盡美，但他對魯迅的詩歌如此熱愛並下大功夫翻譯出版，實屬難能可貴。西方人翻譯魯迅的詩歌應當促使國人反思，應當對中國翻譯界有所震動，因爲畢竟我們中國人翻譯魯迅的詩歌要比外國人理解原詩容易得多。

3.押韻節奏的差別

對於詩歌翻譯要不要押韻的問題，譯界始終存在著不同的見解和長期的爭議。但是好的詩歌翻譯應該在做到選詞精確傳神的同時，還要注意譯句的節奏韻律，盡可能押大致相近的韻，行數字數也盡可能與原詩保持一致，使譯文讀起來朗朗上口流暢通順爲好。但不可強求押韻，以至於削足適履爲韻害意。

把中國舊體格律詩譯成英文的傳統韻詩難度是相當大的，這是因爲漢語與英語之間巨大的差異。漢語格律詩講究的是平仄聲調，而英語格律詩講究的是音部音節的抑揚頓挫，如何將二者協調互換還有待於深入的理論研究和翻譯實

踐來不斷改進和完善。而從翻譯魯迅的格律詩做起，一定會
爲中國的格律詩英譯積累寶貴的經驗。從目前的幾種魯迅詩
歌英譯來看，儘管譯文形式各異但基本上都注意了節奏押韻
的問題，但有的還不是很妥帖。本著精益求精的態度來譯詩，
自然還有很大的改進優化空間。尤其是在採用韻體譯詩問題
上還有許多值得探討的理論問題，這些問題有待於在不斷的
翻譯實踐中尋求解決答案。

4.民族習慣的表達

　　中西方的語言習慣和表達方式不盡相同，這是因爲中西
方人的思維方式和歷史文化傳統的不同，這些不同的因素在
翻譯中必須注意，否則就不能使譯作傳神易懂，不能爲譯入
語讀者所接受。在魯迅詩歌翻譯中，我們應該特別注意中國
古典詩歌的特點，即中國人的形象思維和中國詩歌豐富的意
象，以及特色語言句式和詞彙的運用。而西方人是擅長抽象
思維的，他們的詩歌句式也同樣會顯示出西方人的語言表達
習慣，即重邏輯排列句式，更習慣抽象概括的表達。也就是
說，西方人更習慣於用抽象的概念來表達某種具體的事物，
而中國人則更擅長於用形象的比喻來表達某種抽象的概念。
由此，在將漢語詩歌翻譯成英語時就要考慮英漢兩種語言表
達和接受方式的不同習慣。在翻譯魯迅詩歌的時候，要盡可
能地借用英美人士習慣的表達用語。例如，黃新渠在翻譯中
就將魯迅詩中的"神矢"譯爲"the arrows of Cupid"（愛神
丘比特之箭），這個羅馬神話中的愛神在西方家喻戶曉，這樣
的翻譯自然便於英美讀者理解。在注意中西方文化不同習慣

表達方式方面，另一個範例就是把中國的《梁祝》對西方人解釋爲"羅密歐和茱麗葉"，這樣的解釋使得表達簡單明瞭、易於譯入語讀者接受。

總的說來，魯迅的詩歌藝術繼承發揚了中國傳統詩學精神，他的詩歌神形兼備，精煉含蓄，意境深遠，情景交融，用詞以少勝多，表達方式多種多樣，完美地表現了詩歌主題。閱讀魯迅的詩歌會給人以深刻的啓迪，但如此內涵豐富的詩歌是不可能輕易譯好的。因此，翻譯魯迅的詩歌就需要下大氣力思索反復推敲，只有這樣才能譯出原詩的神韻和精彩。

第三節　魯迅詩歌英譯與世界傳播

中國古典格律詩是世界上最優美的語言藝術精品，它語言精煉，言簡意賅，寓意深遠，回味無窮，令人百讀不厭。魯迅的詩歌就是這座藝術殿堂裡光彩奪目的明珠。在紀念魯迅誕辰 130 周年的今天，魯迅精神不僅依然是中國人民的寶貴精神財富，它的影響還在世界範圍內發揚光大，魯迅不僅屬於中國而且屬於全世界。當今魯迅研究已經成爲一門顯學，魯迅精神在世界廣爲傳播歷久彌新。魯迅的人文主義精神溝通著世界不同國籍人民的心靈，魯迅當年以翻譯爲橋學習西方，如今世界又反過來通過翻譯之橋關注魯迅，這有力的說明瞭翻譯傳播的雙向性和巨大社會效應。在全球化的新時代，中國文學正在走向世界，翻譯文學在國際文化交往中發揮著越來越重要的作用，魯迅詩歌翻譯的薄弱點也一定會得到強化，在數量與品質上得到新的發展。蘊含著中華民族精神的魯迅詩歌的翻譯介紹定會爲魯迅的對外傳播增加新的亮點，魯迅及其詩歌翻譯必將在世界享有更加崇高的聲響，魯迅詩歌研究將會成爲世界各國對中國文學研究的一項重要課題。

　　要加強魯迅詩歌的翻譯和傳播，學界同仁首先應當進一步認識魯迅詩歌的價值、認識中國古典格律詩歌在世界上久負盛名，是最優美的語言藝術精品。而魯迅的詩歌創作是對中國古典詩詞的發揚光大和繼承發展。中國古典詩歌的浪漫主義色彩、生動形象的藝術風格，以及對現實醜惡的批判精神都在魯迅的詩歌創作中得到了繼承和發展。魯迅的詩歌展現的是人間大美的精神風貌，表達的是人間大愛的豐富情感，繼承的是經典的中國詩歌藝術。加強魯迅詩歌的翻譯傳播一定會使中國文化與文學對世界產生進一步深遠的影響。此外，還要明確翻譯魯迅的詩歌，就必須用心研讀魯迅的原詩，真正領會詩歌的歷史背景、思想內涵以及詩歌藝術。魯迅詩歌本身的研究與魯迅小說雜文的研究相比，也仍然缺乏應有的深度和廣度。最後，如果說到詩歌翻譯評價標準的話，可以參照魯迅在 1935 年《致蔡斐君》中對詩歌創作的標準：詩歌還是應當講究形式，要容易記、使人容易懂，還要易唱動聽。但要注意詩的格式也不必太嚴。詩要有韻但也不必總是依照舊詩韻，只要讀起來順口就好。[37]魯迅的詩歌正是他的這種詩歌創作理念的最好體現和詮釋，而翻譯魯迅的詩歌

37　魯迅：《魯迅全集》，《致蔡斐君》，人民文學出版社，2005 年版，第 13卷，頁 552。

也完全可以按照魯迅詩歌創作的這一理念來進行。

要翻譯好魯迅詩歌這樣的中國語言藝術精品，促使其在世界的傳播與影響，必須講求漢英兩種語言技巧，精雕細刻地來對待翻譯。

總之，在新世紀魯迅的詩歌研究與翻譯還有很長的路要走。儘管任務艱巨但前景光明。魯迅詩歌研究與翻譯這一中國文學寶藏的富礦等待中國人自己來開探。可以預言，魯迅詩歌的翻譯必將溝通中國與世界的進一步聯繫，在中國文化走向世界的進程中發揮積極的作用。魯迅詩歌翻譯也必將與魯迅小說翻譯一樣，爲向世界傳播中國文化，爲中國文學自立於世界民族文化之林提供多方面的借鑒和成功的翻譯典範。

如果說，在中國歷史上，是莊子奠定了中國古典散文的基礎，是屈原確定了古典詩歌的取向，那麼，我們還可以說，魯迅是他們的集大成者，魯迅不僅繼承發揚了中國古典詩歌散文的傳統，還在向西方學習的過程中，"取今復古，別立新宗"，開拓出中國新詩的道路。

季羨林先生說："中華文化之所以能長葆青春"，"翻譯之爲用大矣哉"。[38]中國近現代文學史的發展證明，正是在翻譯文學的啓迪下，中國現代文學得到了極大的拓展。翻譯文學與中國現代文學之間有著"異化"和"歸化"的雙重關係，這是因爲翻譯文學一方面作爲一種異質文學對本土文學產生衝擊性，促使中國傳統文學向現代文學轉型；另一方

---

38 季羨林　許鈞：《翻譯之爲用大矣哉》，《文化翻譯的理論與實踐 —— 翻譯對話錄》，許鈞等著，譯林出版社，2001 年 4 月版，頁 1。

面，本土文學又由於語言的規定而同化著翻譯文學，最終使翻譯文學民族化。翻譯文學由此而成為民族文學的一個重要組成部分。

　　魯迅把向國人譯介外國文學比作是像普羅米修士盜取天火給人類那麼重要，又像是給起義的奴隸運送軍火。魯迅高度重視翻譯文學，他把翻譯看得比他的創作還要重要，甚至可以說他一生中最看重的事情就是翻譯。

　　魯迅對翻譯的各個方面都有獨到的深刻見解，他對詩歌及其翻譯也有相關的論說，這些都是值得深入研究的。與研究中國現代文學不可能不研究魯迅一樣，研究中國現代翻譯文學，也無法回避魯迅。研究中國的詩歌翻譯，同樣離不開魯迅詩歌翻譯的研究與借鑒。儘管近幾年來在魯迅翻譯文學的研究方面進行了一些工作、取得了一些進展，但與對魯迅文學創作研究的數量與品質相比是不可同日而語的，特別是魯迅的詩歌翻譯研究更是有很大的拓展空間的。到目前為止，國內外“魯迅詩歌翻譯”的版本只有區區 5 本，其中 3 本為國外人士譯的。而魯迅詩歌翻譯版本的稀少導致魯迅詩歌翻譯研究的缺失。可見魯迅詩歌翻譯及其研究的品質與數量，相對於汗牛充棟的魯迅研究其他方面的論著來說確實是太少了。

　　進一步說，到目前為止已經面世的這幾種魯迅詩歌翻譯儘管各有特色，不同的譯者根據自己的不同理解對魯迅詩歌進行了不同的解讀和翻譯，做出了自己的思考和研究，但總的來說，魯迅詩歌翻譯研究的深度和廣度還有很大的拓展空間。筆者日前的校圖書館藏書目錄檢索，“魯迅詩歌”的書目有多條，而"魯迅詩歌翻譯"的檢索竟然爲零。"中國期刊全文資料庫"中關於魯迅詩歌研究的有多篇，其中關於"魯迅詩歌翻譯研究"的極少。由此可見，集中到魯迅詩歌翻譯方面的專門研究實爲罕見。本著作努力嘗試在歸納總結以往學者研究魯迅詩歌的基礎上，從不同於以往研究的角度出發，發掘開拓魯迅詩歌研究的深度和廣度，將魯迅詩歌翻譯研究的課題"接著往下說"，力求進行一些新的探索，做出一些新的發現。

但長期以來在中外翻譯研究史中，不同的國度、不同的歷史時期，不同的人對翻譯有著不同的認識。例如，在上個世紀下半頁，翻譯研究曾被歸入應用語言學的研究範圍，後來中國的翻譯家和相關問題的研究者開始通過引進借鑒其他學科的研究方法來擴展與建構翻譯研究的體系和領域，例如：現代語言學、文學理論、文化學、哲學、心理學等。更爲突出的問題是，長期以來翻譯及其研究糾纏於翻譯的過程和方法，諸如"形似與神似"、"直譯與意譯"、"歸化與異化"等問題的無休止的爭辯。而近年來學界將翻譯研究納入傳播學的研究領域，由此開拓出譯學研究的新途徑。將翻譯研究歸爲傳播學的範圍來研究，傳播是目的，翻譯就是爲達到傳播目的之手段。翻譯的本質就是爲達到某種目的的資訊傳播。由此，翻譯已不僅僅是一種語言符號轉換爲另一種語言符號的簡單過程，而是被提升到一種跨文化的資訊交流與傳播活動。翻譯傳播自然與其他傳播過程一樣，在傳播的過程中原資訊代碼的內容和目的是不變的。翻譯也是一個涉及到信源，信號，通道，噪音，信宿，編碼，解碼等傳播要素的傳播過程。若對魯迅詩歌的翻譯研究從這個翻譯傳播學的新角度來思考，必將有新的收穫和發現。

第二章 魯迅詩歌翻譯理論探討
—— 譯即易

　　說到翻譯理論，古今中外流派學說紛繁雜亂，對於中國譯界來說，應當有自己民族的、在傳統翻譯理論基礎上的繼承與發展，而不是跟在外國人後面亦步亦趨。談到中華民族的翻譯理論基礎，就不能不談易經，因爲這是中華民族文化的源頭活水，與翻譯研究息息相關的。在中國，用"易學"的哲學思想來探討、解釋翻譯理論的早在古代就已出現過。據研究資料，唐朝的賈公彥就說過："譯即易，謂換易語言使相解也"[1]用現代語言解釋就是說，翻譯是變易的活動，是把一種語言文字換易成另一種語言文字並使其能夠被理解的活動。

　　易經是講世界萬物變化規律的學問，翻譯是把一種文本轉換成另一種文本的轉碼，其本質也是一種變化。由此可見，中國的譯學與易學融會貫通是完全可行的。可以預言，《中國譯易學》的誕生必將會成爲世界譯學百花園中的一支奇葩。

　　本章將就此做一初步的探討以拋磚引玉，爲中國譯學的建設鋪路架橋、添磚加瓦。

1　【漢】鄭元（玄）、【唐】賈公彥疏《周禮注疏》、《十三經注疏》，北京：中華書局，1980 年，頁 869。

第一節 譯即易 —— 簡易 —— 簡潔守信

根據漢代《易緯・乾鑿度》的解釋"易"一字含三義："易者，易也，變易也，不易也。"其中第一義"易者，易也"，指"易"有"簡易"之義。"以言其德也，通情無門，藏神無內也。光明四通，儻易立節。天地爛明，日月星辰佈設，八卦錯序，律曆調列，五緯順軌。……移物致耀，至誠專密。不煩不撓，淡泊不失，此其易也。"[2] 據《繫辭上傳》："乾以易知，坤以簡能。易則易知，簡則易從。易知則有親，易從則有功。有親則可久，有功則可大。可久則賢人之德，可大則賢人之業。易簡而天下之理得矣。"[3] 這是說乾是憑藉著易的特徵顯現出智慧的，坤是依靠簡的特徵而產生能量的。易就容易爲人理解，簡就會使人容易遵從。易解才會使人有親切感，易遵從就會產生功效。有親切感就可以維持長久，有功效便可把事業做大。這段古語充分說明瞭"簡易"的博大精深內容與無比智慧。

從《易經》的卦象來看，全部卦象不論怎樣變化，都是由簡單的、容易把握的"—"、"- -"基本的二爻組成的，這就告訴我們無論多麼複雜的事物，都是由最簡單的最基本的元素組成的。所以，我們凡事只要把握住事物的最基本元

---

2 轉引自：馮天瑜；"變易"與"不易"的二律背反 —— 洋務派"變法"觀芻議，《近代史研究》1993 年第一期，頁 112-113。
3 劉大鈞：《周易傳文白話講》，齊魯書社，1993 年版，頁 96。

素以及它的構成的邏輯關係和發展脈絡，就可以使紛繁雜亂的複雜事物變得簡單明瞭易於解決了。

由此，儘管"易道廣大，無所不包"，但它的關鍵在於"易"字上。越是深刻的道理越應當是易知、易行的。這應該成為我們建立中國譯學的一個基本原則。本節將魯迅詩歌翻譯理論在"簡易"的框架和原則則下進行分析：

一、詩魂純淨的"簡易"

魯迅自幼熟讀中國典籍，他的文學與翻譯思想與易經的精神是相通的。無論是寫文作詩還是翻譯，他都對文本的思想性非常重視，魯迅的一顆純正高潔的赤子之心更是來自"簡易"的文化薰陶的而結果。

例如：魯迅對青年詩人白莽愛護有加，在評價他的詩歌《孩兒塔》時曾高度讚揚白莽詩歌所表現的真摯犧牲精神和純真簡潔的詩歌風格。魯迅評價他的詩歌"這《孩兒塔》的出世並非要和現在一般的詩人爭一日之長，是有別一種意義在。這是東方的微光，是林中的響箭，是冬日的萌芽，是進軍的第一步，是對於前驅者的愛的大纛，也是對於摧殘者的憎的豐碑。一切所謂圓熟簡練，靜穆幽遠之作，都無須來作比方。因為這詩屬於別一世界。"[4]魯迅如此高度地讚揚過白莽的詩歌，首先在於看重他的詩歌的簡潔純真的精神價值及風格。

---

4 魯迅：《魯迅全集》，第 6 卷，人民文學出版社，2005 年版，頁 512。

　　再如 1922 年魯迅翻譯了蘇聯盲詩人愛羅先柯的童話集和詩歌,當國內有人對愛羅先柯的詩作表示不屑一顧時,魯迅為他辯護說:這位詩人具有"一個幼稚的然而純潔的心"。魯迅看到他的單純簡潔的"赤子之心",以及"是用血和淚所寫的"真實的作品故而大力翻譯推薦他。

　　同樣,魯迅對翻譯的執著也是出於一個簡單純真的信念:對中國民族命運的深切關注,對國民劣根性的激烈批判,他要通過翻譯引進"血的蒸氣,醒過來的人的真聲音"[5]來大聲吶喊、來喚醒黑屋子裡沉睡的人民。

　　要進一步說明魯迅純真簡潔的詩魂,我們還可以回望魯迅青年時期的翻譯實踐。在魯迅的青年時期,他就立下了報國濟世的純真樸實的大志,他在日本留學時正值林紓的翻譯風行之時。此時的魯迅對新出版的林紓翻譯小說是"每本必讀",儘管對他"不諳原文,每遇敘難狀之景,任意刪去,自然也不以為然"。[6]魯迅之所以對林紓翻譯的小說不滿,是因為林紓的翻譯隨心所欲的成份太大。但魯迅還是始終對林譯小說喜愛,每本必讀。儘管他後來逐漸地外語程度越來越好時發現林譯本的誤譯很多,因此也就越來越不滿意了。正是為了糾正林譯的缺點,才有了後來魯迅與周作人的《域外小說集》的翻譯,此後,他們又合譯了《現代日本小說集》。儘管如此,不可否認的是魯迅欣賞林紓翻譯的高遠目標和思想的深邃。林紓的翻譯思想對魯迅產生過很大的影響,例如

---

5 魯迅:《魯迅全集》,第 1 卷,人民文學出版社,2005 年版,頁 338。
6 許壽裳:《亡友魯迅印象記》,上海:上海文化出版社,2006 年 7 月版,頁 16。

林紓在他所譯的《鬼山狼俠傳序》的序言中，首開國民性批判的先河，他痛斥“唾面自乾”的“中國至下之奴才”的醜陋嘴臉。林紓提出他的小說“專爲下等社會寫照”，“掃蕩名士美人之局”，“刻畫市井卑污齷齪之事”[7]，林紓的這種簡潔明快的翻譯目的魯迅是極爲欣賞的，這對魯迅後來的翻譯和創作產生了直接的深刻影響。如魯迅的翻譯世界弱小國家的文學，魯迅的文學創作《吶喊》、《彷徨》，都是關注於社會底層勞苦大眾的。1907 年魯迅與周作人合作翻譯出版了哈離德與安特路胡合著的《紅星軼史》。在《紅星軼史》譯序中魯迅表達了他的文學的“不用之用”的觀點，這既是魯迅的文學批評立場，也是他的文學詩歌翻譯觀。正是從這裡開端，經過更爲深入的思考，當這種翻譯文學觀再次出現於《域外小說集》序言時，就成爲其振臂的“吶喊”。

　　魯迅在《紅星軼史》序言中說：“中國近方以說部教道德爲桀，舉世靡然，斯書之翻，似無益於今日之群道。顧說部曼衍自詩，泰西詩多私制，主美，故能出自繇之意，舒其文心。而中國則以典章視詩，演至說部，亦立勸懲爲臬極，文章與教訓，漫無畛畦，畫最險之界，使勿馳其神智，否者或群逼之。所意不同，成果斯異。然世之現爲文辭者，實不外學與文二事，學以益智，文以移情。能移人情，文責以盡，他有所益，客而已。而說部者，文之屬也。讀泰西之書，當並函泰西之意，以古目觀新制，適自蔽耳。”[8]由此可見魯迅的全新純真“簡易”的翻譯觀。

7　林紓：《鬼山狼俠傳序》，《林紓文選》，百花文藝出版社，2002 年版，頁 38。
8　止庵主編：《紅星軼史》新星出版社，2006 年版，頁 4。

　　1908 年魯迅在編譯文章《摩羅詩力說》中也從批評"群學"的角度出發強調了這同樣的觀點。魯迅在《摩羅詩力說》中，反對"據群學見地以觀詩者"，認爲持這種觀點的人要求詩與社會普遍流行的道德觀念一致，"非如是者，必與群法儳馳。以背群法故，必反人類之普遍觀念；以反普遍觀念故，必不得觀念之誠。觀念之誠失，其詩宜亡。"然而"詩有反道德而竟存者奈何？"[9]魯迅認爲中國封建主義的文學規範，"無邪之說，實與此契"，並且"苟中國文事復興之有日，慮操此說以力削萌蘖者，當有徒也"。[10]魯迅還說"惟詩究不可滅盡，則又設範以囚之……強以無邪，即非人志……然厥後文章，乃果輾轉不逾此界。"[11]魯迅認爲，寫作詩歌就應該像拜倫那樣的"超脫古範，直抒所信"，詩歌要有"剛健抗拒破壞挑戰之聲"，要有膽量打破"汙濁之平和"，不可讓詩人的個性受到"群治"和"普遍觀念"的枷鎖限制。魯迅還認爲："惟文章亦然，雖縷判條分，理密不如學術，而人生誠理，直籠其辭句中，使聞其聲音，靈府朗然，與人生即會。"[12]"蓋世界大文，無不能啓人生之閟機，而直語其事實法則，爲科學所不能言者"[13]由此可見魯迅此時翻譯

9　魯迅：《摩羅詩力說》，《魯迅全集》，北京：人民文學出版社，2005 年版，第 1 卷，頁 74。

10　魯迅：《摩羅詩力說》，《魯迅全集》，北京：人民文學出版社，2005 年版，第 1 卷，頁 75。

11　魯迅：《摩羅詩力說》，《魯迅全集》，北京：人民文學出版社，2005 年版，第 1 卷，頁 70。

12　魯迅：《摩羅詩力說》，《魯迅全集》，北京：人民文學出版社，2005 年版，第 1 卷，頁 74。

13　魯迅：《摩羅詩力說》，《魯迅全集》，北京：人民文學出版社，2005 年版，

及文學基本觀的變化。

　　魯迅翻譯觀還集中體現在他於 1907-1908 年期間發表的《文化偏至論》、《摩羅詩力說》、《破惡聲論》等文章中。魯迅早期翻譯觀的形成與林紓、梁啟超等人影響是分不開的，也是與其中國傳統的文學觀緊密聯繫並相互影響的。他的翻譯與創作互相呼應與互動，共同構成對國民性的深刻批判，也顯示出魯迅不同凡響詩魂純淨的"簡易"。

二、文風灑脫的"簡易"

　　用易經的第一要義"簡易"來規範翻譯的原則自然也是相適應的。這就是要求譯文簡易、忠實守信。英文格言"Honesty is the best policy"（誠實是最好的謀略）與此精神相通。也就是說譯文要忠實于原創，使譯文讀者獲得與原文讀者一樣的資訊與感受。例如在翻譯的早期魯迅除了接受林紓的影響而後超越林紓外，他的譯文還受到梁啟超的所謂"新文體"的影響。其顯著特點之一就是句式簡約，詞鋒健銳，這在魯迅的文學創作和譯文裡都有著充分的展示。可見魯迅的翻譯是既要輸入"異域文術新宗"，還要翻譯的語言"弗失文情"的。

　　在翻譯手法上，魯迅的早期翻譯雖然很多是採用意譯的方法，但他選擇譯本的純真簡潔的目標是始終不變的。例如他那時的翻譯代表作《斯巴達之魂》、《哀塵》和兩部科學小

第 1 卷，頁 74。

說的翻譯，就是爲了喚醒中國的民衆。歷史的看問題，在上個世紀初文言文盛行之時，魯迅的譯文的簡約與古樸不僅不能被貶爲"詰屈聱牙"，而且相對於當時的譯風來說，是有了很大的向著白話文的過渡的。閱讀魯迅此期間的譯文，我們就會發現他的兩部科學小說的翻譯所用的一些白話文的詞彙與句型，直到今天按照現代文的標準來看，仍然是清晰簡潔明白的，並且有著不少相當精彩的譯句的。魯迅這時期翻譯文本的選擇、譯文的簡潔古樸，以及翻譯主體的自由心態都是值得今天的翻譯者認真學習和借鑒的。[14]

　　"簡易"還有"簡捷"之意，對於魯迅詩歌翻譯來說，只要我們用易學的思想方法來處理，運用"簡易"原則，就能將複雜的漢語詩歌英譯問題一個一個化繁爲簡，這樣就抓住了詩歌翻譯的主要矛盾"，翻譯的複雜問題就可以迎刃而解了。

　　上個世紀 20 年代時期，劉半農贈給魯迅一副對聯，評價魯迅爲"托尼學說，魏晉文章"，[15]可謂正確的評價。魯迅自己也承認他的思想中既有中國傳統文論的簡潔冷峻文風，又有對西方文化和哲學思想的廣泛的接收和汲取，由此形成了他自己的獨特的文風灑脫的"簡易"。

14　此部分詳見吳鈞著《魯迅翻譯文學研究》第三章，齊魯書社，2009 年版。

15　孫伏園：《魯迅先生逝世五周年雜感二則"托尼學說、魏晉文章"》，《魯迅先生二三事 —— 前期弟子憶魯迅》，河北教育出版社，2001 年，頁75-76。

三、人品高雅的 "簡易"

　　魯迅是中國現代的文化偉人，是偉大的翻譯家、文學家、思想家，被稱之爲中國的 "民族魂" 和中國現代文學之父。有評價說孔子是中國古代的聖人，而魯迅是中國現代的聖人，[16]還有人認爲魯迅是一個廣義的哲學家。在孔子看來，"德" 是人與天的契合點，這是因爲人道與天道雖然表現形式不同，但其精神實質卻是一致的。天的根本德性是當含在人的心性中的，天道運行以化生萬物，人若得天地之正氣，就可以與天相通。因此，作爲宇宙根本的德，也就是人倫道德的根源，人倫道德也是宇宙天道的體現，由此，"天人合一" 是孔子 "中庸之道" 的 "無限之至境"。魯迅和孔子一樣，他的 "韌性" 的戰鬥就是爲從有限的 "中間物" 趨向完美的 "中庸" 的理想境界的精神體現。魯迅對孔子的理想追求精神是讚賞的，他曾說："'不可與言而與之言'，即是'知其不可而爲之'，一定要有這種人，世界才不寂寞，這一點我是佩服的。"[17]由此可見魯迅 "中間物" 哲學思想的無限生命力和高遠的境界，可以說，魯迅的 "中間物" 是對周易傳統 "中道" 的揚棄繼承和發展，是對儒家中庸之道的正本清源和 "返本開新"。

16　例如毛澤東曾說過："魯迅在中國的價值，據我看要算是中國的第一等聖人。孔夫子是封建社會的聖人，魯迅則是現代中國的聖人。"見《毛澤東文集》，第 2 卷，人民出版社，1993 年 12 月版，頁 43。
17　魯迅：《反 "漫談"》，《魯迅全集》，北京：人民文學出版社，2005 年版，第 3 卷，頁 484。

　　也和孔子一樣，魯迅一直遭到各式各樣的誤解和不同的評價。例如在評論魯迅的個性時，有人認為魯迅世故、多疑、刻薄，還有人認為魯迅陰暗、冷酷、憤怒、喜歡罵人、對人苛刻。錢理群教授指出："我們往往注目於憤怒的魯迅，而忽略了魯迅悲憫和慈愛的這一面。"魯迅"同樣是一位以巨大的愛，為被侮辱的和被損害者'悲哀、叫喊和戰鬥的藝術家'"。[18]實際上和孔子一樣，魯迅也是一位既嚴厲認真又慈祥和善的師長。魯迅既"橫眉冷對千夫指"，同時也"俯首甘為孺子牛"。"魯迅的書論是尖銳的，同時也是寬厚的。"魯迅既有言辭激烈的戰鬥檄文，也有諷刺幽默的即興演說。例如當年聽課的學生後來的小說家王魯彥在回憶魯迅當年在北大生動幽默的講課時說：魯迅的講課使"教室裡的人全笑了起來"，大家看到的是"魯迅先生的蒼白冷靜的面孔上浮動著慈祥親切的光輝，像是嚴冬的太陽"。[19]這些都是魯迅"中間物"的思想在個人風格中的反映，是他人品高雅的"簡易"體現。

　　魯迅做人更是有自己的中正"簡易"原則，他決不左右搖擺，偏聽偏信。當魯迅晚年病重時，他既不會聽從勸告去日本療養，也不會聽從勸告去蘇聯養病。魯迅面對來自"左"的或右的污蔑和漫罵都表現出堅定的簡易的原則性和硬骨頭精神，這正是中國傳統的中正"簡易"品質的個性表現。

　　綜上所述，用易經的第一要義"簡易"來分析魯迅的詩

18　錢理群：《與魯迅相遇》，北京：三聯書店，2003 年版，頁 17。
19　見王乾坤《由中間尋找無限》，西安：陝西人民教育出版社，1996 年版，頁 36、111。

歌創作及其翻譯，他的詩魂純淨的“簡易”、文風灑脫的“簡易”、人品高雅的“簡易”都是我們最好的學習典範。他的簡潔純真的詩心，高尚的翻譯目標，忠實守信的翻譯風格都值得我們認真研究與學習。

第二節　譯即易 —— 變易 —— 譯藝變通

　　“易”學的第二義爲“變易”。《易緯·幹鑿度》曰：“變易也者，其氣也。天地不變，不能通氣。五行迭終，四時更廢。君臣取象，變節相和，能消者息，必專者敗……君臣不變，不能成朝……夫婦不變，不能成家……此其變易也。”[20] 變易”即變化之義。在易經中，陰陽相推和變化是永無止盡的，正謂“化而裁之謂之變，推而行之謂之通”。世間萬物都是處在一個不斷的、永恆變化的“易”中。易經的思辨特點之一是以陰陽爲基點的各個領域的一系列的對立概念的確定，例如：陰與陽、剛與柔、凶與吉、強與弱、正與反、高與低、往與複等。但這些對立物並非靜止不變，而是隨時變化轉化的，這就是所謂的“剛柔相推而生變化”。這種對立統一的“相感”、“相蕩”就是涵蓋宇宙萬物的“變易”。“窮則變，變則通，通則久”，世界上的事物的運行規律即爲此。“變易”指出了世間事物發展變化的本質特點，在文學詩歌翻譯研究中“變易”這一法則同樣可行。且看以下的分析：

---

20 見“簡易”注。

一、翻譯內容方法由翻譯早期
──中期──晚期的“變易”

　　儘管魯迅的詩歌創作數量少,但魯迅一生的翻譯文學作品數量大致和他的文學創作數量相等,他投入翻譯的時間與精力比創作更多。據統計,魯迅在長達 33 年的時間裡,譯介了 14 個國家近百位元作家的 200 多種作品。他的文學翻譯的歷史分期有著各自的特點。本節按大致分成的三個歷時時期即:早期(1903～1908);中期(1909～1926)和後期(1927～1936),將其翻譯思想興趣、翻譯方法的變化做一分析研究。

　　魯迅在早期的翻譯活動中宣導斯巴達人的愛國主義精神,他希望通過翻譯介紹科學小說來實現他救國救民的人生理想。他的翻譯手法主要是模仿林紓的意譯,譯文也基本上是從比較深奧的文言文向淺顯的文言文、乃至白話文的過渡。從 1903 年開始,通過大量閱讀西方譯著,魯迅越來越深切地關注祖國的前途命運。在他寫下《自題小象》“我以我血薦軒轅”的豪邁詩句的同時,魯迅就開始經常地為中國留學生刊物《浙江潮》翻譯投稿,魯迅在譯文中表現了與詩文創作同樣豪邁的愛國熱情。魯迅的第一部翻譯作品是 1903 年 6 月發表在《浙江潮》上的法國作家雨果的《哀塵》[21]。魯迅的翻譯將原作者譯為 “囂俄” ,譯者署名庚辰,這是魯迅使用的一個筆名,《哀塵》用文言文譯成,講述的是在一個雪夜作者救助一位受員警冤枉的貧民女孩的故事。魯迅發表

21　此篇為後來的新發現,未曾被收入 1958 年版的《魯迅譯文集》。

了他的第一篇科普知識譯介，即於 1903 年發表在《浙江潮》第 8 期上的《說鉑》。這篇文章被作爲魯迅的創作收入魯迅全集的《集外集》中[22]，但它實際上是青年時代魯迅的第一篇編譯的科學論文。魯迅還於 1903 年編譯了歷史小說《斯巴達之魂》，他之所以選擇編譯這篇小說，就是因爲 "斯巴達之魂" 的 "懍懍有生氣"。在這篇編譯作品中，魯迅向國人介紹了斯巴達三百勇士扼守溫泉門，與波斯王率領數萬侵略軍殊死搏鬥全軍死難的英雄史詩。魯迅對斯巴達精神高度讚揚，期望中國出現這樣像斯巴達人一樣的勇士，"因爲所信的主義，犧牲了別的一切，用骨肉碰鈍了鋒刃，血液澆滅了煙焰。在刀光火色衰微中，看出一種薄明的天色，便是新世紀的曙光。"[23]這充分顯露出青年時代的魯迅強烈的愛國熱情和報效國家的雄心大志，魯迅編譯這篇文章就是要通過讚美斯巴達人反抗外族侵略的鬥爭精神，來激勵中國青年奮起反擊外來侵略者以捍衛自己的祖國。這篇編譯作品不僅立意高遠，而且文筆精練古樸，充分顯示了筆者嫻熟的漢文字表述才能。此期間除了愛國主義的和對社會不公揭露的編譯著作外，魯迅還 "因爲向學科學，所以喜歡科學小說。"[24]1903 年，魯迅從日語轉譯了法國作家儒勒·凡爾納的科學小說《月界旅行》和《地底旅行》。還有美國作家路易士·托倫的《造人術》、

22 魯迅：《說鉑》，《魯迅全集》，北京：人民文學出版社，2005 年版，第 7 卷，頁 21。

23 魯迅：《熱風　隨感錄五十九 "聖武"》，《魯迅全集》，北京：人民文學出版社，2005 年版，第 1 卷，頁 373。

24 魯迅：《書信　340515　致楊霽雲》，《魯迅全集》北京：人民文學出版社，2005 年版，第 13 卷，頁 99。

《北極探險記》、《世界史》、《物理新詮》等。早期的魯迅翻譯觀還集中體現在他於 1907-1908 年期間發表的《文化偏至論》、《摩羅詩力說》、《破惡聲論》等文章中。總之，魯迅翻譯的初期有著明確的翻譯目的和標準，即選擇那些可以用來影響和改造中國的國民性、促進中國社會進步的外國文學和科學作品。魯迅早期的翻譯從接受林紓的影響到接受梁啓超的影響，再到形成自己對翻譯的獨立的新見解，都是爲了實現魯迅這一偉大的翻譯目標的。魯迅翻譯早期的譯德譯風從他翻譯目標和翻譯文本的選擇標準中就可以清楚地看出來，它對我國的現代翻譯文學具有十分重要的開拓作用，正是在魯迅這樣的翻譯家的影響下，越來越多的中國翻譯家注重翻譯目標的選擇和翻譯筆法的運用，並由此推動了中國現代翻譯文學一步步地向前發展。

魯迅中期的翻譯首開先河大力提倡直譯，更多的採用白話文翻譯。在選材上呈多樣性，並有意選擇了不少世界弱小民族的文學來翻譯。在這個翻譯的中期，魯迅所留下的翻譯作品及翻譯文論，是值得認真研究的一筆寶貴遺產，特別是魯迅的《域外小說集》的翻譯。在當時頗爲流行的林紓式意譯風盛行時它的出版儘管銷路不好，但它在中國翻譯文學史上的劃時代偉大意義不容忽視。此期間魯迅還翻譯了荷蘭作家望·藹覃的《小約翰》等優秀外國文學作品，同時還創作了《阿 Q 正傳》、《狂人日記》等聞名世界的文學作品，可見魯迅的文學創作是緊密伴隨著文學翻譯的，他的文學創作是受到他的文學翻譯的深刻啓發和影響的，這方面的詳盡論述將在本論文第六章進行。

　　魯迅在他的翻譯後期主要以蘇聯文學以及文藝理論的翻譯爲主，在翻譯手法上更加強調直譯。魯迅的文學翻譯晚期始於 1927 年，此時魯迅從廣州來到上海。在他生命的最後十年中，他不僅創辦文學刊物，還大量翻譯介紹外國的文藝作品和文藝理論。這一時期儘管魯迅的身體健康狀況不佳，但他以"中間物"的翻譯爲人生要務，與時間賽跑、用生命與心血來譯著。這一時期反倒成爲他一生中譯作數量最多、成果最爲輝煌的時期。這一時期魯迅共翻譯了 146 種各類作品。在魯迅翻譯的後期，他明確地提出並堅持自己的"直譯"翻譯策略，這是出於他對翻譯本質的深刻認識，以及希望改造完善早期漢語白話文、引進新思想、改變舊思維的深遠目的。

　　概括而言，魯迅早期的翻譯主要爲科普作品和科學小說，翻譯手法以編譯、意譯爲主，其代表譯作爲法國凡爾納的科學小說《地底旅行》。中期的翻譯種類繁多，但特別注意選擇了世界弱小民族的文學和兒童文學的翻譯，其翻譯手法轉向直譯，也兼顧其他翻譯策略，其代表譯作爲荷蘭望·藹覃的長篇童話《小約翰》。魯迅後期翻譯主要以蘇俄文學與文學理論、美術史論和介紹西方版畫爲主，翻譯手法上更加強調直譯，乃至"寧信而不順"的"硬譯"。魯迅翻譯後期最重要的翻譯作品是俄國作家果戈理的《死魂靈》，魯迅最精美的詩歌也是創作於這個期間。綜觀魯迅一生 33 年的翻譯歷史，給我們最深刻啓迪是，儘管他在不同的歷史時期選擇不同的翻譯種類，運用不同的翻譯方法，但他翻譯的標準始終是爲了利國利民。魯迅通過"變易"的翻譯策略，有效地發展了自己的文學創作和翻譯事業。

二、翻譯語言由文言文──白話文
──現代語的"變易"

在中國漫長的文化發展歷史中漢字長期處於至高無上的莊嚴地位。在中國古代，人們認爲"昔者倉頡作書，而天雨粟、鬼夜哭。"[25]由此，在中國封建社會人們對漢字充滿了敬畏感，認爲神聖的漢字是不可改變的。即使到了 21 世紀的今天，仍有不少人對漢字懷有這種神秘畏懼的心理，可見要改變漢字必定觸及傳統的國民思維定勢。然而，漢字作爲中國傳統文化的重要載體，在與西方文字的對比中，由於它的"難認、難寫、難記"的"三難"問題，爲中國的改革者們所嚴重關注。在魯迅的時代，當時許多愛國志士都認爲中國之弱在於國民的文化低下，因而導致科學技術的不發達，而中國的科技教育落後是中國落後挨打的原因所在。由此，難學難記的漢字在當時被許多人認作是中國貧窮落後的根源所在，而向西方國家學習，走簡單易學的拼音文字的道路自然被認作是中國的富強之路。由此，"教育救國"、走拼音化的道路也就大有勢在必行的趨勢了。可見中國自近代以來就開始的語言變革問題的爭論一開始就關係到民族生死存亡的重大問題，同時它也是一個關係到中國文化是倒退僵死還是走向現代化的重大問題。出於對民族存亡的憂患意識，中國現代歷史上許許多多的有識之士都從憂國憂民的立場出發，

25　《淮南子 本經訓》卷 8，《原典寶庫》，北京國學時代文化傳播有限公司網路版，web@guoxue.com

先後提出過改造漢字的思想，歷史上關於語言改革曾經有過非常激進的言語，例如甚至有人提出要廢除漢字。在中國近代以來的歷史上，要求改革中國漢字的呼聲在中國知識份子群體中始終沒有斷過。晚清的許多中國有志之士就曾經試圖創立過拼音文字，或借用世界語、或採用羅馬字母等等方法來改革中國的方塊字，這種呼聲到了"五四"時期更加高漲。

　　在魯迅翻譯的初期，他也曾用文言文的意譯，此後他也是出於改革中國語文的目的才改用白話文的。例如魯迅就先後用文言和白話分別翻譯過尼采的《查拉圖斯特拉序言》。到了 1909 年在魯迅提出用"直譯"的方法翻譯《域外小說集》時，他的翻譯觀又有了進一步的飛躍。但魯迅的這種"不順"的直譯觀，也遭到不少激烈的反對和批評。1931 年魯迅還就此與瞿秋白進行了討論。魯迅認為在給知識份子看的譯著更應該提倡"寧信而不順"的翻譯策略。當然，這裡的"不順"並不是要將"跪下"譯作"跪在膝之上"、"天河"譯成"牛奶路"。"乃是說，不妨不像吃茶淘飯一樣幾口可以咽完，卻必須費牙來嚼一嚼。"只所以要這樣是因為"這樣的譯本，不但在輸入新的內容，也在輸入新的表現法。中國的文或話，法子實在太不精密了，作文的秘訣，是在避去熟字，刪掉虛字，就是好文章，講話的時候，也時時要辭不達意，這就是話不夠用，……這語法的不精密，就在證明思路的不精密，換一句話，就是腦筋有些糊塗。倘若永遠用著糊塗話，即使讀的時候，滔滔而下，但歸根結蒂，所得的還是一個糊塗的影子。要醫這病，我以為只好陸續吃一點苦，裝進異樣的句法去，古的，外省外府的，外國的，後來便可以據爲己有。這並不是空想的事情。[26]魯迅還認爲，即使讀者是普通的讀者，"也應該時常加些新的字眼，新的語法在裡面，但自然不宜太多，以偶爾遇見，而想一想，或問一問就能懂得爲度。必須這樣，群衆的言語才能夠豐富起來。"[27]他還針對直譯說："一面儘量的輸入，一面儘量的消化，吸收，可用的傳下去了，渣滓就聽他剩落在過去裡。……但這情形也當然不是永遠的，其中的一部分，將以"不順"而成爲"順"，有一部分，則因爲到底"不順"而被淘汰，被踢開。這最要緊的是我們自己的批判。"[28]

可見在過去的一個世紀中國不少憂國憂民的知識份子爲改變落後的、阻礙科學發展的漢字努力過。在中國歷史上先是發生了宣導漢語白話文的運動，此後是白話文的進一步簡化和演變。一個世紀過去了，今天中國的現代白話文比起"五四"時期的白話文，已經是極大的豐富和充實了。中國的歷史發展證明：漢字沒有滅亡，也沒有拼音化。但是在中文拼音的輔助下，中國漢字越來越顯示出強大的生命力。如今漢字和西方各種語言一樣廣泛地應用於電腦、手機的輸入，甚至還根據中文拼音方案進一步制定出了我國 13 個少數民族的 16 種拉丁字母文字，中文拼音方案還使盲文、聾啞人手指語、旗語、燈語等特殊語文成爲可能。中文拼音方案能有今

26　魯迅：《關於翻譯的通信》，《魯迅全集》，北京：人民文學出版社，2005
　　年版，第 4 卷，頁 391。
27　魯迅：《關於翻譯的通信》，《魯迅全集》，北京：人民文學出版社，2005
　　年版，第 4 卷，頁 392。
28　魯迅：《關於翻譯的通信》，《魯迅全集》，北京：人民文學出版社，2005
　　年版，第 4 卷，頁 392。

天的輝煌成功,是與 20 世紀初我國知識份子的文字改革運動分不開的。

　　當然從今天的世界"漢語熱"的新形勢來看,上個世紀初中國知識份子對待漢字的態度是矯枉過正的。中國的傳統漢語言文字是幾千年來維繫中華民族共同體的基本要素,它承載著中國幾千年的歷史,滲透在中華民族的文化之中,浸染著中國人的親情,維繫著世世代代的血脈,不是可以輕易的說廢除就能廢除的了的。然而,我們不能脫離開歷史的背景來評價當時的情況,也不能全盤否認魯迅的那個時代中國知識份子的過激言行。即使在今天,魯迅的翻譯之橋,這一條從文言文到白話文,再到現代文的語言改革"變易"的道路仍然是中國走向世界的必由之路。魯迅堅持的"輸入新的表現法"、引進"異國情調"的"益智"的直譯策略,仍是中國語言改革的大目標,他的為改革中國現代文的翻譯策略,對我們今天的文字改革也仍然有著寶貴的借鑒作用。他的從文言文到白話文再到現代文的書寫和翻譯實踐,為語言"變易"的一個很好的例證。

三、翻譯手法由歸化──異化──優化而"變易"

　　縱觀魯迅 33 年的翻譯策略,我們看到魯迅的翻譯策略的選擇是多種多樣的。

　　魯迅翻譯策略從"歸化"向"異化"的轉變,其最終目的就在於希望出現有創新意義的"優化"的中國語言。正是出於為中國的未來和勞苦大眾著想,魯迅才決心通過翻譯來改革中國的現有文字，進而創新“優化”中國的語言文字。在魯迅所處的時代，來自各個方面的西方影響如潮水一般湧進國門，但根深蒂固的本國傳統文化仍處於話語的中心，佔據著翻譯語言主導地位的也仍然是符合中國人語言習慣的“順譯”，本國傳統文化對大多數譯者的翻譯策略仍起著決定性的作用。魯迅能夠在“歸化”的大勢下，標新立異主張“變易”為“異化”的直譯，恰恰是在這一點上，我們看到魯迅的遠見卓識和深思遠慮和大無畏的勇氣。魯迅的翻譯思想是在實踐中不斷發展深化的。從分析魯迅的前期翻譯來看，他那時所採用的是“歸化”的翻譯策略。經過了最初的編譯、意譯、文言譯的過程，魯迅最終走上了為“優化”漢語的“異化”直譯道路。魯迅的直譯策略在 1909 年翻譯《域外小說集》時提出，此後他在自己的翻譯實踐中始終堅持這樣的翻譯原則。儘管“異化”的翻譯更忠實于原文，給讀者帶來更為真實可靠的跨文化交流的文本資訊，但由於譯文中有許多新異因數不符合目的語傳統文化的規範，在嘗試引進的初期，讀起來自然是晦澀難懂，因而導致保守派的反對和批評。然而魯迅在嘲笑譏諷中忍辱負重堅持進行韌性的戰鬥，他自知直譯是“吃力不討好”的工作，但魯迅以“知其不可為而為之”的堅毅，忍辱負重地堅持直譯甚至帶病超負荷工作，他“辭典不離手，冷汗不離身”地工作，完成了中國現代翻譯歷史上許多個“第一”。例如：魯迅是中國近代翻譯史上第一個提出並身體力行地堅持“異化”的直譯理論翻譯家，魯迅還是第一個介紹荷蘭童話《小約翰》給國人的翻譯家，又是魯迅第一個向中國人翻譯介紹了果戈理的《死靈魂》，魯迅還是將中國古典格律詩改造爲白話新詩的開拓者。魯迅在一片"歸化"順譯的呼聲中反其道而行之，進行"變易"的"異化"翻譯的新嘗試，開闢新的翻譯道路，就是要爲中國開拓有益的新翻譯策略而做"中間物"的橋樑。魯迅在外國文學的翻譯中的那些看似生硬不順的"直譯"是他有意而爲的。作爲一代語言文學大師的魯迅，竟能譯出那些"生硬"的白話文句子，不是他翻譯文字水準不行，而是魯迅有意識地要這樣做，爲得是給中國的白話文輸入新的語法和新的表達方式，繼而由此種新的語言來承載新的思想和改造舊的文化。

　　從魯迅的"異化"翻譯例句分析中，我們看到"異化"的翻譯策略對保持原文的特色，促進東西文化交流和譯入語讀者學習吸收外來語詞匯的積極作用。在中國，正是由於魯迅的重大影響和大力宣導，特別是經過魯迅與反對直譯者的幾次大論戰，"五四"運動後不少翻譯家都轉向了的"異化"的直譯方法，這對於中國語言吸收外來詞匯和句法結構、豐富漢語表達法、促進白話文的發展成熟起到了積極的作用。尤其值得注意的是，對外翻譯的開展使得西方的自由詩、散文詩、短篇小說、戲劇等新鮮活潑的文學形式得以進入中國。由此可見，魯迅的"變易"的"異化"翻譯策略確實是一種"中間物"的指向"優化"語言的創新邊緣地帶。

　　魯迅從"異化"的翻譯到"優化"的創新有許多成功的典範，但魯迅的翻譯自然也有失誤和失敗的教訓，因爲它是新生的事物，"始生之物，其形必醜。"魯迅的翻譯使我們認識到：通過"變易"的翻譯"優化"中國語言的道路充滿艱辛與阻力，正像魯迅面對人們的責罵和忌恨堅持對國民性進行批判一樣，他在翻譯中同樣是面對著人們的譏笑和批評、面對著文本的困惑、承受著翻譯的不成功、反抗著翻譯中不可譯的絕望。同魯迅在文學創作時所勇敢地面對冷眼、絕望、孤獨一樣，在翻譯中魯迅同樣體驗著一個又一個譯文的不通順、不對接的挫折和失敗。魯迅用他那雙慣於尋找黑暗的眼睛，從他自己的失敗翻譯教訓中總結經驗，進而又把這些經驗上升到理性的“異化”直譯策略和理論來爲後來者鋪路搭橋提供可資借鑒的教訓。魯迅正是通過這一個又一個“變易”的翻譯道路上的艱難困苦和失敗，爲後來者鋪就“優化”現代漢語的成功道路。

魯迅從“歸化”到“異化”再到“優化”的“變易”的翻譯橋樑的意義和價值不僅在於語言層面更在於思想層面。魯迅的翻譯著作常常是出版在中國文壇思想發展最需要的時刻。翻譯語言從“異化”到“優化”的“變易”過程，還體現在魯迅翻譯對他自己的創作語言的影響上。魯迅在直譯外國文學的過程中，自己的語言也受到了深刻影響，形成了具有“歐化”特徵的現代漢語。所以說，魯迅通過直譯、硬譯，引進吸收外國的新詞彙、新句法所形成的“歐化”漢語譯文，是一種超越傳統的古漢語、也超越於初期白話文的“歐化”語言，是通向“變易”進一步創新“優化”現代漢語的橋樑。從魯迅的文學創作語言中，我們也可以清楚地看到他的語言深受他的翻譯“歐化”語言的影響，在魯迅深厚的國語基礎之上接受的“歐化”影響，必然產生出“優化”的魯迅創作文體。又由於魯迅在中國現代文壇上的巨大影響，他的語言觀連同他的經典文學創作，都對中國現代漢語的形成和發展產生了重要的促進作用。

綜上所述，魯迅的"變易"翻譯從"歸化"的意譯到"異化"的直譯再到產生"優化"的現代漢語的過程就是促使中國現代漢語發展的歷史。中國的現代語言文字的改革經歷了的由古漢語到白話文再到現代文的"變易"歷程，是伴隨著翻譯從"歸化"的意譯到"異化"的直譯再到產生"優化"的創新語言目的過程的。由此，魯迅旨在"優化"的"異化"翻譯理論和實踐對中國現代文學發展的"中間物"橋樑作用就顯而易見了。

魯迅通向"優化"漢語的翻譯之橋樸實無華，卻匠心獨運，蘊涵著大師的機智和精湛的技藝。它為後人鋪路奠基，承前啓後，傳遞著域外新的思想和知識資訊。儘管"異化"的直譯比不上"歸化"意譯的流暢華麗精緻，它的譯文沒有美麗的辭藻點綴，但它帶給國人的卻是打開心扉的溫暖春風，他把翻譯艱澀的黑暗期留給自己，把通向"優化"譯文的光明指給後來者，也為"變易"的翻譯理論提供了成功的例證。

四、翻譯者由末人──超人──世界人的"變易"

魯迅的翻譯人生，不僅是用生命建造翻譯語言從"歸化"到"異化"再到"優化"的橋樑，更是建造一條救國救民的、引導中國勞苦大眾"末人"走向"超人"、再走向"世界人"的"變易"的"中間物"的橋樑。

　　早在 1902 年魯迅在日本留學時,就十分關注留日學生中關於中國出路問題的討論,作爲著名的革命派人士章太炎的學生,魯迅自然是"往集會,聽講演"[29],積極關注和思考著中國前途命運的重大問題。就是在這個時期,魯迅經過大量閱讀和反復思考,或編譯或論著,發表了《摩羅詩力說》、《人之歷史》、《科學史教篇》、《文化偏至論》等重要作品。這些作品都是從探討人類文明發展史入手,透過歷史的迷霧吸收歷史的教訓,尋找救國救民的道路。也正是在這個時期,魯迅開始閱讀尼采等西方哲人的著作。青年時代的魯迅棄醫從文,更是表明他要通過文學來改造國民性,追求由"立人"達到"立國"的強國之夢的決心。經過思索中國的歷史教訓與現狀,魯迅敏感地認識到中國現代化的關鍵所在是"立人",正當他開始思索"立人"之道時恰逢遇到尼采。在《查拉圖斯特拉如是說》中尼采說:"我教你做超人",試想這對正在苦苦思索救國良方的愛國青年魯迅來說,是多麼巨大的吸引力。從那時起,尼采的思想就深深地吸引著魯迅,他的《查拉圖斯特拉如是說》一書,魯迅更是愛不釋手,在 1918 和 1920 年分別兩次用文言和白話翻譯介紹這本書給中國讀者。

　　魯迅批判性地吸收了尼采"超人"和"末人"的理論,並將尼采的"Der Letzte Mensch"創造性地譯爲"末人"。魯迅期望借助於尼采的"超人"說振動懦弱的國民,喚醒中國的"末人"奮起,去掉"不爭"的"奴性",使中國的"弱者"覺醒成爲"強者"。由此,魯迅用他的一支筆塑造了許

29　魯迅:《且介亭雜文末編·因太炎先生而想起的二三事》,《魯迅全集》,北京:人民文學出版社,2005 年版,第 6 卷,頁 578。

多“末人”形象，如：孔乙己、阿 Q、閏土、祥林嫂等，這些悲苦的“末人”形象也正是反襯出魯迅對中國出現“超人”的嚮往。可見魯迅一生雖然沒有像雨果、托爾斯泰那樣寫出名揚世界的長篇巨著，但尼采的“末人”在魯迅的小說、雜文中得到了生動的反映，魯迅在文學中塑造了栩栩如生的大量中國式的“末人”形象，他們是那些在帝國主義和封建主義的壓迫下扭曲、變形的人，這些“末人”的形象幫助中國民眾覺醒，找出國人的病因，“引起療救的注意”，他們是魯迅留下的一筆寶貴的思想文化遺產，在中國文學史上立下了不朽的豐碑。

儘管魯迅贊同尼采的“超人”說，也斥責“唯物極端，且殺精神生活”、“使獨創之力，歸於槁枯”的社會弊端，贊同尼采的恢復個人尊嚴與獨立創造性的思想，也對“末人”庸眾進行批判，但魯迅對“末人”卻是充滿感情的，對他們的遭遇是“哀其不幸、怒其不爭”。魯迅說過：“用秕谷來養青年，是決不會壯大的，將來的成就，且要更渺小，那模樣，可看尼采所描寫的‘末人’”[30]，這裡魯迅所說的“末人”就是那種閉目塞聽、精神萎靡、萎縮不前的渺小之人。魯迅還在《吶喊》、《彷徨》中批判那些愚弱、缺乏意志力的、唯唯諾諾的庸眾“末人”。魯迅既刻畫了這些末人的“身體缺陷”，更描寫了他們的“精神缺陷”，魯迅對這些渺小的被關在鐵屋子裡將被悶死的“末人”們痛心疾首，大聲吶喊。

---

30 魯迅：《由聾而啞》，《魯迅全集》，北京：人民文學出版社，2005 年版，第 5 卷，頁 295。

　　阿 Q 就是魯迅筆下的一個"末人"的典型形象。阿 Q 處在社會的最底層，他無房無地，住在"土穀祠"裡，靠打短工爲生。他窮困潦倒，受盡屈辱，甚至連姓名也沒有。

　　爲了"立人"的救國存亡目的，魯迅在文學中不僅描繪了中國"末人"的悲苦形象，更是在追求中國人的強者形象，渴望中國有救國救民的"超人"出現。魯迅的"超人"觀從他早在 1908 年編譯的《摩羅詩力說》中就可以看到。在這一熱情地向國人介紹西方新思想的長篇編譯論文中，魯迅將尼采在《察拉圖斯忒拉的序言》中的話"求古源盡者將求方來之泉，將求新源。嗟我昆弟，新生之作，新泉之湧於淵深，其非遠矣。"放在篇首題記中。魯迅還說：若夫尼怯，斯個人主義之至雄桀者矣，希望所寄，惟在大士天才；而以愚民爲本位，則惡之不殊蛇蠍。意蓋謂治任多數，則社會元氣，一旦可瘵，不若用庸眾爲犧牲，以冀一二天才之出世，遞天才出而社會之活動亦以萌，即所謂超人之說，嘗震驚歐洲之思想界者也。"[31]由此可見年青時代的魯迅對尼采的看重。

　　尼采的"超人"具有不同于傳統道德的全新道德觀，它體現著生命的意志和旺盛的創造力。"超人"不僅超越弱者也超越自身，"超人"是新的規範與價值的創造者，"超人"充實豐富、偉大完美，區別於"末人"的卑微瑣碎、軟弱無力。尼采之所以要尋找"超人"的意義，是因爲他堅信人與其他動物是有著根本區別的，人的價值是可以通過對自我的不斷超越而得到實現的，可見尼采的"超人"之路就是一條

31　魯迅：《文化偏執論》，《魯迅全集》，北京：人民文學出版社，2005 年版，第 1 卷，頁 53。

實現人生價值的理想途徑。青年時代的魯迅被尼采的"超人"理論所吸引並由此提出"剖物質而張靈明，任個人而排眾數"的主張。縱觀魯迅的這一"立人"思想，不難看出他的這一思想從尼采的"超人"說中獲取過重要的影響。

　　然而魯迅說："尼采式的超人，雖然太覺渺茫，但就世界現有人種的事實看來，卻可以確信將來總有尤爲高尙尤近圓滿的人類出現。"[32]魯迅在《熱風》一文中提出過一個"世界人"的重要概念。他說："許多人所怕的，是'中國人'這個名目要消滅；我所怕的，是中國人要從'世界人'中擠出。我以爲'中國人'這名目，決不會消滅；只要人種還在，總是中國人。……但是想在現今的世界上，協同生長，掙一地位，即須有相當的進步的知識，道德，品格，思想，才能夠站得住腳。這事極須勞力費心，而'國粹'多的國民，尤爲勞力費心，因爲他的'粹'太多。粹太多，便太特別。太特別，便難與種種人協同生長，掙得地位。有人說：'我們要特別生長，不然何以爲中國人？'於是乎要從'世界人'中擠出。"[33]由此可見魯迅的憂思。儘管魯迅感到尼采式的超人"太覺渺茫"，但他仍然堅持爲了中國人能夠"幸福的度日，合理的做人"而甘當橋樑。他爲"肩住黑暗的閘門"，向西方別求新聲，爲中國人不被擠出"世界人"的行列而大聲疾呼，與"世上害己害人的昏迷和強橫"進行韌性的鬥

32　魯迅：《熱風　隨感錄四十一》，《魯迅全集》，北京：人民文學出版社，2005 年版，第 1 卷，頁 341。
33　魯迅：《熱風　隨感錄三十六》，《魯迅全集》，北京：人民文學出版社，2005 年版，第 1 卷，頁 323。

爭。魯迅的翻譯觀展示了中國人由末人－超人－世界人的
"變易"過程,魯迅生命中 33 年的翻譯工作,無論是在翻譯
作品的選擇,還是在翻譯方法的更新上,都實踐著"變易"
的原則。他的這些變化都是爲著實現"以異邦新聲實現救亡
圖存"的崇高理想的。

總之,在翻譯中爲了在跨語言交流的文本中再現原語言
文本之面貌,必須採用一系列的翻譯手法的"變易"。譯文
要變通,譯技要靈活,該直譯便直譯,該意譯便意譯,譯文
"得意忘形"、"再創作"等翻譯手法都是爲了真實再現原
文。各種翻譯技巧的變通就是易經的"變易"。翻譯手法的
變化正如易經爻辭中"—"、"--"二爻的組合中有著六十
四卦的不同組合和變化無窮的規律一樣。將"變易"的法則
體現在詩歌翻譯中,譯者就應該明確認識翻譯不僅僅是個語
碼轉換的過程,它是文化的交流,資訊的輸出。翻譯手法的
變化是爲翻譯的目的服務的。正如世界萬物都處在變化之中
一樣,譯者對翻譯文本的認識也要不斷深化,翻譯方法要根據
翻譯內容隨時調整變化,對譯文也需要反復修正以求最佳效
果。

綜觀魯迅一生 33 年的翻譯歷史,給我們最深刻啓迪的是
儘管他選擇翻譯的種類繁多,但他選擇翻譯作品的標準始終
是爲了利國利民。魯迅早期的翻譯主要爲科普作品和科學小
說,翻譯手法以編譯、意譯爲主,其代表譯作爲法國凡爾納
的科學小說《地底旅行》。中期的翻譯種類繁多,但特別注意
選擇了世界弱小民族的文學和兒童文學的翻譯,其翻譯手法
轉向直譯,也兼顧其他翻譯策略,其代表譯作爲荷蘭望·藹覃

的長篇童話《小約翰》。魯迅後期翻譯主要以蘇俄文學與文學理論、美術史論和介紹西方版畫爲主，翻譯手法的變化更加強調直譯，乃至"寧信而不順"的"硬譯"。魯迅翻譯後期最重要的翻譯作品是俄國作家果戈理的《死魂靈》。魯迅早、中、晚三個翻譯歷史的翻譯手法、翻譯文本和翻譯的側重點的變化就是對易經"變易"原則的最好闡釋。[34]

　　在魯迅的詩歌中，我們更是可以領略到豐富多彩的變化多樣的藝術手法。魯迅的詩歌經常運用不同的象徵和比喻來隱晦地表達自己的思想感情。如《送O·E·君攜蘭歸國》、《無題》（"大野多鉤棘"）、《贈人二首》、《秋夜有感》等等。而在他的詩歌《自嘲》、《自題小像》中，詩人則是採用不同的隱含交替的形象描寫來表達心聲。魯迅善於借助於客觀外界不同的物像，採用變化著的藝術手法表現詩情畫意。這不僅依賴於詩人精湛的藝術修養、敏銳和深刻的形象思維，還體現著傳統文化易經"變易"思維的潛移默化的深刻影響。魯迅的赤子之心的純潔簡練的寫作的目標一旦確定，他就以戰士的姿態以不同的藝術書寫形式來爲自己的理想而奮鬥。他的"變易"的藝術手法在他的詩歌中表現的尤爲突出。例如：白描、對比、對照、反襯、幽默、諷刺、誇張、反語、雙關、諧音、比興等等。相應的魯迅詩歌翻譯的手法也應該是豐富多彩、千變萬化的。但是"萬變不離其宗"，翻譯手法的變化都是爲了一個心中簡潔"不易"的詩歌主題和思想而服務的。

---

34 詳見吳鈞《魯迅翻譯文學研究》第三章。齊魯書社 2009 年版。

第三節　譯即易 — 不易 — 譯理恒定

　　"易"經的第三義爲"不易",即"不變"。據《易緯·乾鑿度》:"不易也者,其位也。天在上,地在下;君南面,臣北面;父坐子伏,此其不易也。"[35]根據此條解釋,"不易"的是天地、君臣、父子的位置。可見《易傳》首先闡明世間萬物是簡易、變易的,同時又說明變易之中有不易的法則,這正是中華民族傳統文化大智慧的突出體現。《易傳·繫辭傳上》指出:"天卑地卑,乾坤定矣。卑高以陳,貴賤位矣。動靜有常,剛柔斷矣。方以類聚,物以群分,吉凶生矣。"[36]這段話也是強調了宇宙世間萬物秩序的"不易"性。《易緯乾鑿度》曰:"不易也者,其位也。"這裡的"位"就是指相對穩定的規律。可見"不易"的是事物本質的變化規律與原則,這種不變的規律與原則在翻譯研究領域同樣存在:

一、翻譯目標及憂患意識的"不易"

　　魯迅的翻譯人生給我們的啓示首先在於他的民族憂患意識。而憂患意識是中華民族傳統文化中一個特有的價值概念,是一種社會責任感和對人間憂患的悲憫情懷,也是魯迅精神的一個重要方面。魯迅被稱之爲"20世紀最憂患的靈

---

35 見前"簡易"的注釋。
36 劉大鈞:《周易傳文白話講》,齊魯書社,1993年版,頁96。

魂"[37]。甚至當時代進入到 21 世紀時，仍然沒有任何一位中國作家能像魯迅那樣，以其深邃的思想，辛辣的語言，充滿憂患的情懷和不屈的戰鬥精神深刻地影響著中國當代文壇。魯迅深重的憂患意識是他至今仍然活在熱愛他的人們心中、活在各種討論和誤解聲中的重要原因之一。

　　作爲譯介之魂的魯迅，具有無法估量的研究價值。而魯迅的憂患意識是他"取今復古，別立新宗"的文學翻譯和創新的力量源泉。深入探討魯迅的憂患意識及其歷史淵源與時代意義，是我們更深刻、更準確地理解和把握魯迅精神的題中應有之義。正是出於深重的民族憂患意識，魯迅看到啓蒙、改造國民性的重要性，並由此以"拿來主義"的翻譯引進借鑒、影響改造中國的國民性、改造中國社會，使中國人站立起來。

　　魯迅"不易"的憂患意識充分體現在他的文學翻譯和創作中。最爲突出的例子是他早在年輕時代就編譯介紹的歷史小說《斯巴達之魂》，魯迅爲"斯巴達之魂"的"懍懍有生氣"所振奮，他要爲中國人翻譯介紹，激勵中國人爲拯救處在屈辱之中的受西方列強奴役的祖國而戰鬥。《域外小說集》的翻譯所選作品都是富於現代氣息的"別立新宗"，這是爲了喚醒民眾，提高國人的素質和打開國人的眼界，有利於中國人"轉移性情，改造社會"的。[38]魯迅一生的翻譯和創作、特別是他介紹翻譯的東歐和北歐弱小國家和民族的文學作

---

37 孫鬱：《20 世紀中國最憂患的靈魂》，北京：群言出版社，1993 年版，頁 1。
38 魯迅：《域外小說集序》，《魯迅全集》，北京：人民文學出版社，2005 年版，第 10 卷，頁 176。

品，就是充滿著被壓迫民族的"掙紮、反抗、怒吼"的聲音，魯迅要用這種聲音來震動"無聲的"中國，震醒沉睡的民眾為自己的命運而鬥爭。魯迅一生翻譯了 14 國 200 多種不同類型的文學作品，但它們的一個共同點是都體現了魯迅深重的民族憂患意識和翻譯的明確目的性——為受苦受難的中國人尋找出路。魯迅認為"文藝是可以轉移性情，改造社會的"，本著這個"不易"的信念，魯迅把翻譯和文學創作當作他終生的事業來做。正是出於深重的民族憂患意識，魯迅才能高瞻遠矚，站在時代的前沿，為中國社會的發展而開闢翻譯文學新道路。也正是出於深重的民族憂患意識，他才有啟蒙救國的高尚譯德與非常人可企及的超前意識和創新思維，而這種理性創新思維不僅使他以深邃的目光選擇符合自己"不易"的理想追求與目標的翻譯文本，而且在翻譯實踐的同時，豐富和更新著自己的文學創作思想和理論。

例如魯迅最成功的小說翻譯和創作的取材"多采自病態社會的不幸的人們中，意思是在"揭出病苦，引起療救的注意。"[39]魯迅認為喚醒民眾的覺醒是改變民族命運的關鍵所在，這也是魯迅棄醫從文的原因所在。他看到當時中國人精神的麻木和軟弱，意識到拯救中國人的靈魂比醫治身體的傷痛更重要，魯迅的棄醫從文就是要用文學來揭露封建制度的腐朽醜陋，喚醒民眾沖出黑暗的"鐵屋子"來開創一個新世界。魯迅的著名小說《狂人日記》、《阿 Q 正傳》、《傷逝》、《祝福》等，也都是充滿著深重憂患意識的傑出作品。這些

39　魯迅：《我怎麼做起小說來》，《魯迅全集》，北京：人民文學出版社，2005年版，第 4 卷，頁 526。

具有深刻思想內涵的悲劇小說飽含血淚控訴，讀來令人驚心動魄、振聾發聵，它們為中國現代憂患小說樹立了卓越的典範。在這些小說中，魯迅生動地描繪了中國人精神上的創傷，揭露和鞭撻他們身上的奴性、墮性和愚昧性。"哀其不幸，怒其不爭"是他深重的憂患意識的真實寫照。魯迅用他的文學翻譯和創作的手術刀觸到患者的傷痛深處，就是為了徹底地割除毒瘤。這正是他"人間大愛"、民族大憂患意識的體現。而正是由於魯迅的這種憂患意識和愛國精神，他的翻譯和創作才能夠不同凡響、深刻獨到。例如魯迅通過描寫阿 Q 的痛苦人生、鞭撻阿 Q 的愚昧，揭露的是國民的劣根性，控訴的是封建社會對勞苦大眾的愚弄和壓迫，體現的也仍然是一種深刻的大憂患意識。當人們盡情嘲笑阿 Q 之後，留給自己的是深沉的痛苦與自省。魯迅描寫和塑造的阿 Q 的愚昧狂妄、以強凌弱和精神勝利法的形象，在很大程度上反映了一種具有普遍意義的民眾的典型，從阿 Q 身上中國人看到了自己的影子。然而像阿 Q 這樣的民眾是不能改變自己的不幸命運的。由此，魯迅以小說的形式引導民眾思考這些帶根本性的生存問題。魯迅以文學創作的形式鞭撻國民身上普遍存在的封建意識和愚昧性，是為了喚醒民眾自省自強，振興中華。出於同一個"不易"的目的，魯迅"別求新聲於異邦"，提倡大力翻譯引進外國的文學作品，魯迅希望通過譯介外國文學作品從西方盜取新文化的火種。

　　探究魯迅的憂患意識，我們還可以追朔到中國文化的源頭《周易》。因為"憂患"這一詞彙最早是出現在《周易·繫辭下》裡的。《周易》是中華民族傳統文化精神和智慧的

"活水源頭"，它以其特殊的歷史地位，被稱之為"大道之原"、"聖人之蘊"，它是中華民族上下五千年生生不息的精神象徵。正是《周易》博大精深的思想內容影響了包括魯迅在內的中國歷史上眾多的偉大思想家和文學家。中國歷代的文人學者研究易學"是故聖人以通天下之志，以定天下之業，以斷天下之疑。"，體現著"聖人以此洗心，退藏於密，吉凶與民同患"的價值理念。[40]

據《易傳·繫辭下傳》："《易》之興也，其當殷之末世，周之盛德邪？當文王與紂之事邪？是故其辭危。危者使平，易者使傾；其道甚大，百物不廢。懼以始終，其要無咎，此之謂《易》之道也。"[41]。當初周文王身處困境，面對重重困難與憂患，謹慎應對，終於轉危為安。可見"《易》之興也"實在是在危難處境中我們祖先的憂患意識的必然結果。《周易》突出體現的正是"朝幹夕惕"、"居安思危"的憂患意識。如《易傳·繫辭下傳》指出的聖人"吉凶與民同患"，"又明於憂患與故"。[42]這一思想對我國傳統文化產生了源遠流長的深刻影響，它體現了作者對吉凶成敗深思熟慮的遠見，它是一種高度的社會責任感和責任心，是知識份子關注社會和人類命運的自覺意識，它蘊涵著堅強不屈的意志力和奮發向上的精神理想，以及對社會、對人生的一種高度使命感。

孔子說過："志士仁人，無求生以害仁，有殺身以求仁"

---

40 秦磊：《大眾白話易經》，西安：三秦出版社，1990 年版，頁 323。
41 秦磊：《大眾白話易經》，西安：三秦出版社，1990 年版，頁 353。
42 秦磊：《大眾白話易經》，西安：三秦出版社，1990 年版，頁 323、349。

[43]。孔子的這一思想是對古老中國易經文化的繼承，而孔子的思想又影響了中國歷史上無數的仁人志士。"先天下之憂而憂"、"生於憂患，死於安樂"的傳統信念激勵一代又一代的中華兒女，生命不止，奮鬥不息。特別是《周易》所講的憂患意識並非只關注個人，而是"吉凶與民同患"的群體意識，而要做到"與民同患"、"明於憂患與故"，就要究其憂患的本質根源以及應對方法，這也正是《周易》對中國歷代文人價值觀的深刻影響所在。

這種源于《周易》的深沉厚重的憂患意識，是中華民族文化所特有的人文精神，是中華民族最珍視的民族魂。它自古以來就對中國歷代文人學者產生極其深刻的影響，是中國知識份子"不易"的的精神信仰，並早已成爲指導歷代文人學者行爲的準則。中國知識份子對國家對民族的責任感與使命感是中華民族文化寶庫中極其珍貴的精神財富，是中華民族在外來侵略下不屈不撓、團結凝聚、生生不息、興旺發達的根本原因。正是在這種中國傳統的民族精神激勵下，一代又一代的中華兒女以熱血與生命，譜寫了一曲曲感天動地悲壯豪邁的愛國之歌。如顧炎武的"天下興亡，匹夫有責"；文天祥的"人生自古誰無死，留取丹心照汗青"；屈原的長詩《離騷》貫穿全篇的是詩人爲理想而鬥爭，爲祖國而獻身的精神。詩人一生上下求索，執著地堅守著自己的人生價值信念，直至以最後以沉江來實現自己對生命終極價值的執著追求。鄭板橋的畫竹詩，"一枝一葉總關情"表現的也是他

---

43 程昌明譯注：《論語‧衛靈公》山西古籍出版社 1999 年版，頁 170。

對人民疾苦的關心，歌頌的是傲骨清風，鐵骨錚錚。范仲淹"先天下之憂而憂，後天下之樂而樂"，譚嗣同《獄中題壁》中的"我自橫刀向天笑，去留肝膽兩昆侖"表現出的是同樣的視死如歸的滿腔豪情，秋瑾的《對酒》詩中"一腔熱血勤珍重，灑去猶能化碧濤"抒發的也是她願為正義拋灑熱血的豪爽氣概。這些中國歷史中的文人在對終極價值的追求中鑄就的偉大憂患意識和人文精神，成為中國千古傳誦的榜樣與英雄。這種憂患意識的傳統是浸透在中國文人的血脈之中的，每當國家與民族處在生死存亡的緊要關頭它就表現得特別突出。

這一特徵也突出地表現在自幼就熟讀詩書的魯迅的文學創作和翻譯裡。魯迅自幼就開始學習中國古典傳統文化，十二歲到三味書屋讀書時已經讀完了《論語》，開始讀《詩經》。民族憂患意識自幼就在他的心靈中紮下了根。為激勵自己上學不遲到，他特地在課桌的右上角刻下一個"早"字。魯迅青年時代在日本留學時，孜孜不倦地學理論、學外語，深刻思考、奮發論著，這體現的也正是由憂患意識而來的自強不息的民族精神。

綜觀魯迅的一生，他被稱作為"20世紀中國最憂患的靈魂"，一位"失敗的英雄"，這是因為他為了民族大義，與舊中國封建專制統治勢力進行了堅決的抗爭，因而歷經艱辛並遭到各種流言與污蔑。魯迅曾說過："我一生中，給我大的損害並非書賈，並非兵匪，更不是旗幟鮮明的小人，乃是所謂‘流言’。[44]在魯迅的生涯中，他不時地遭受各種惡意誹謗、無中生有的造謠和流言中傷。然而魯迅始終爲國爲民而深切憂患，堅韌地爲他的理想而戰鬥，把外國文學的翻譯介紹和文學創作與現實人生緊緊聯繫在一起，其目的就是爲了拯救滿目瘡痍的祖國和受苦受難的中國人民，他的這種大無畏的戰鬥精神與中華民族在憂患中自強不息的傳統精神是一脈相承的。

　　魯迅說過："孔孟的書我讀得最早，最熟，然而倒似乎和我不相干。"[45]從這句話中我們一方面看到的是魯迅對封建禮教的"徹底的背叛"，對封建糟粕的堅決批判；但從另一方面來看，他自幼就對儒家經典"讀得最早，最熟"，從童年時代開始他就受儒家文化的薰陶，中國傳統文化的精華無疑對魯迅的精神世界產生了直接的和最重要的影響。而正是這種"最早，最熟"的潛移默化的深刻影響使魯迅能夠成其爲偉大的思想家、文學家、詩人和翻譯家。

　　魯迅的論著和文學翻譯是他一生憂國憂民，念念不忘中國文人的傳統理想與追求的真實見證，而這種傳統的繼承從魯迅論著中多次提及、熟練引用或化用《易經》等先秦文化典籍的事實中也可以得到證明。[46]所以說，儘管有人認爲魯迅對中國傳統文化進行了最猛烈與徹底的批判，甚至有人認

44　魯迅：《並非閒話（三）》，《魯迅全集》，北京：人民文學出版社，2005年版，第 3 卷，頁 161。

45　魯迅：《寫在〈墳〉後面》，《魯迅全集》，北京：人民文學出版社，2005年版，第 1 卷，頁 301。

46　廖詩忠：《回歸經典 —— 魯迅與先秦文化的深層關係》，上海，上海三聯書，2005 年版，頁 11。

爲"魯迅造成了中國文化的斷裂"。但事實上魯迅從來就沒有否認中國傳統文化中的"優秀因數",這種"優秀因數""無論從什麼角度來說,都是並未斷裂過的,並至今還在灌溉著我們的精神和思想。大凡具有生命力的傳統文化因數,總會滲透在人們的心靈中間,沉積在整個社會文化背景中間,世世代代地延綿下去"。[47]源于易經的優秀傳統文化潛移默化著包括孔子、魯迅在內的一代又一代的中國文人,它滲透在中華民族的生命與血液之中。魯迅精神從周易、孔子思想中可以找到源頭和繼承關係,魯迅精神所蘊涵的憂患意識的文化因數,充分體現了作爲一代文學宗師的魯迅對中國傳統文化的批判的繼承與發展。

縱觀上下五千年的中國歷史,中華民族是一個飽經憂患的民族,憂患意識是中華民族精神的重要內容。在漫長的中國歷史中,正是憂患意識警示我們生存與發展,也正是憂患意識激勵我們奮發圖強,使中華民族永遠立於不敗之地!在中華民族災難深重、內憂外患的黑暗時期,魯迅出自深重的民族憂患意識,爲喚起民眾、增強民族凝聚力、提高民族自信心而奮力吶喊戰鬥。他追求真理,追求光明、"我以我血薦軒轅"的一生爲中國新文化運動指出了前進的方向。今天,魯迅的文學翻譯和創作中處處可見的憂患意識和民族精神,仍然是值得我們珍視學習、繼承發揚的民族魂。在世界進入 21 世紀之時,保持中華民族的憂患意識仍然具有十分重要的現實意義。"常懷憂患之思,常懷自警之心",我們的

---

47 林非:《魯迅和中國文化》,北京:學苑出版社,2000 年版,頁 13。

事業才能不斷向前發展。歷史的經驗證明：沒有憂患意識的民族是不會長治久安的，沒有憂患意識的國家則必定在世界競爭中落後挨打。例如滿清的「八旗兵」取勝之前曾被稱之為「虎狼之師」，這是一支「稱霸中原」的威武之師，但在取得勝利之後，「遛鳥、玩古董、抽大煙」驕奢淫逸，養尊處優，腐化墮落，以至於後來的「虎狼之師灰飛煙滅」，「八旗子弟」只能作為紈絝子弟被歷史所記載。[48]可見，越是成功勝利和發展形勢大好，越是要保持憂患意識。再如魯迅的胞弟周作人，他與魯迅出生在同樣的家庭，有著共同的成長背景，然而他卻忘記了民族大義，丟掉了中華民族憂患意識的傳統，與敵偽合作，喪失民族大節，「一失足成千古恨」，一世清譽，付之東流，成為一個被中國人民所唾棄的「漢奸」。與其兄魯迅相比，簡直是天涯之別。可見一個人可以有這樣那樣的缺點和不足，但只要有了民族憂患意識，他就能在大是大非的原則問題上做出正確的判斷與選擇。有了這個基本的出發點，他才會廉潔奉公、自強不息、改革創新，在有限的生命中，為民族、為人類做出有價值的貢獻。反之，丟掉了為國為民的憂患意識，則必然陷入苦難的泥潭不可自拔。由此我們認識到，包含著對自身、對世界、對人生的深刻領悟和對人類大愛的憂患意識是直接影響著人的思想和行為模式的根本所在。

　　自從有了人類，憂患意識便伴隨著人類發展的整個過程。憂患意識作為中華民族傳統文化精神的一個重要組成部

48　劉正斌：《憂患意識 —— 領導幹部必備的基本素質》，人民網理論版2007年3月30日。

分，在新世紀並沒有過時。它對中國人的現代化建設仍然有著十分重要的意義。魯迅精神和文學翻譯創作中的憂患意識值得我們在新世紀做進一步的深入研究並大力弘揚，這就是我們研究魯迅的憂患意識的當代啓示，它是"不易"的典型例證。

二、"中間物"翻譯哲理的"不易"

　　魯迅翻譯理論中"不易"的核心乃是其"中間物"的翻譯哲學思想，它具有永恆不變的真理價值。根據魯迅的翻譯理論，翻譯本身就是一種交流的"中間物"的橋樑。所以，要探討魯迅的翻譯人生，就不可不討論他的"中間物"的生命哲學基礎，因爲魯迅"中間物"的生命哲學也正是他的翻譯理論的基礎。魯迅的"中間物"思想的永恆"不易"性在於他指出了世上一切事物都並非圓滿，而是處在一個動態的"中間"的、然而不斷趨向於"圓滿"的運動變化過程的。

　　魯迅首次提出"中間物"這一概念是 1926 年底在《墳・寫在〈墳〉後面》一文中。魯迅說；"……孔孟的書我讀得最早，最熟，然而倒似乎和我不相干。大半也因爲懶惰罷，往往自己寬解，以爲一切事物，在轉變中，是總有多少中間物的。動植之間，無脊椎和脊椎動物之間，都有中間物；或者簡直可以說，在進化的鏈子上，一切都是中間物。當開首改革文章的時候，有幾個不三不四的作者，是當然的，只能這樣，也需要這樣。……但仍應該和光陰偕逝，逐漸消亡，至多不過是橋樑中的一木一石，並非什麼前途的目標，範本。……。"[49]魯迅的這段話是由他翻譯與寫作所採用的白話文與古文的關係而引發的。因為《墳》是一個"古文與白話合成的雜集"。重要的一點是：我們不可把魯迅這裡所說的"中間物"僅僅按"進化論"的觀點來理解，因為魯迅說"一切都是中間物"。既然"中間物"被魯迅抽象為一個有著指謂一般的概念，"其在魯迅思想中應該有更高層次的定位。它之於魯迅，就不僅僅是一個歷史的時間概念，而是說它既是世界觀、歷史觀，也是價值觀；既是時間之維（歷史的），也是空間之維（邏輯的）"[50]。如果將魯迅的"中間物"思想這樣定位，將其看作是一種"世界觀"和感知世界的"方法論"，我們就可以探究它的"不易"的客觀真理性，並由此追溯到它的中國傳統原點，將其與儒家"中庸"之道的異同進行比較研究。而將其與中國傳統文化聯繫在一起進行比較研究，我們就找到了深入探究魯迅翻譯精神實質的道路，並得出魯迅的"中間物"的翻譯思想是對中國傳統文化的繼承發展的結論。

　　概括而言，魯迅與中國文化的關係可以歸納為"天人合一"的傳統關係。有學者認為討論魯迅與中國文化的關係，不可以離開"天人合一"的基本觀點。這是因為中國文化的基色和背景就於此。要認識魯迅的性格與風格，必須將其置於這個大背景中才有可能。因為魯迅的整個人生都與此緊緊

<hr />

49 魯迅：《寫在〈墳〉後面》，《魯迅全集》，北京：人民文學出版社，2005年版，第 1 卷，頁 302。
50 王乾坤：《從"中間物"說到新儒家》，《魯迅研究月刊》，1995 年第 11期，頁 5。

地糾纏在一起，而正是這種複雜的糾纏關係構成了魯迅的生存境況，沒有這種糾纏便沒有魯迅。[51]將魯迅與“天人合一”聯繫在一起進行討論是新穎獨到並言之有理的。這是因爲儘管從魯迅的文學創作和翻譯來看，他激烈地表達出對舊世界的不滿和批判是爲了破壞這個舊世界，但魯迅這樣做正是爲了掃除達到“天人合一”理想境界的種種障礙，從魯迅的終極理想追求來看，他仍然是深懷中國傳統文人的大憂患意識，在追求一種“天人合一”的理想境地。而“天人合一”的中道思想不僅是易學中的重要概念，也是中國傳統文化中的一個核心概念。對於中國人來說，這是一個不可忽視和不能回避的大背景。儘管在中國現代啓蒙知識份子中，魯迅是最爲反叛決絕的首位，但對傳統的反叛並不意味著反叛者與傳統之間毫無關聯。恰恰相反，要對傳統做出反叛，必須首先有對傳統的深刻理解和認知作爲前提。魯迅“一切都是中間物”的“不易”的哲學命題的提出正是如此。他的“中間物”的生命哲學思想使我們在他激烈地反叛傳統的同時，看到他和中國傳統文化之間不可分割的血脈聯繫。他的“中間物”的生命哲學，是與他對源自周易的儒家傳統文化和佛教文化的深入研究和思考緊密相關的，正是由於魯迅與中國文化傳統的深層聯繫和與先哲聖賢的精神相通，他才有可能在批判繼承、揚棄演繹中國傳統文化的過程中，進一步創造性地提出“一切都是中間物”的精闢哲學命題。

　　從廣義上來看，魯迅說“一切都是中間物”就是說世界

51　王乾坤：《魯迅的生命哲學》，人民文學出版社，1999 年 7 月版，頁 46。

上絕對的完美是不存在的。由此，孔子的"中庸"、"至善"的境界也是人所達不到的，因爲人是有限的、有欠缺的，不可能至善至美的。所以對一些所謂的至善至美的偶像，魯迅也認爲他們"並非什麼前途的目標，範本"。魯迅說"一切都是中間物"，自然是連同他自己也包括在內的了。所以魯迅自己一生也不願以"聖賢"、"善人"、"君子"、"師表"被稱道，而寧可做"速朽"之"野草"。

　　魯迅"中間物"思想與周易貴中、孔子中庸之道之間的密切聯繫和緣源關係首先就表現在對待"天人合一"的基本哲學問題上。在孔子看來，"德"是人與天的契合點，這是因爲人道與天道雖然表現形式不同，但其精神實質卻是一致的。天的根本德性是當含在人的心性中的，天道運行以化生萬物，人若得天地之正氣，就可以與天相通。因此，作爲宇宙根本的德，也就是人倫道德的根源，人倫道德也是宇宙天道的體現。"天人合一"是孔子"中庸之道"的"無限之至境"。而"中庸"對孔子來說，是"知其不可爲而爲之"的，但它體現的是儒家對人生理想"中道"追求的進取態度和執著精神。魯迅正是在對他念念不忘的人生"大德"的理想追求的思考中提出"中間物"的思想的。從魯迅的"中間物"觀點來看，人要與理想的"中庸"之"天""合一"是不可能的。這是因爲人是不可能盡善盡美的，"倘使世上真有什麼'止於至善'，這人世間便同時變了凝固的東西了。"[52]也和孔子一樣，魯迅"韌性"的戰鬥就是爲從有限的"中間

52 魯迅：《黃花節的雜感》，《魯迅全集》，北京：人民文學出版社，2005 年版，第 3 卷，頁 428。

物"趨向完美的"中庸"的理想境界的精神體現。魯迅對孔子的理想追求精神是讚賞的，他曾說："'不可與言而與之言'，即是'知其不可而爲之'，一定要有這種人，世界才不寂寞，這一點我是佩服的。"[53] 由此可見魯迅"中間物"哲學思想的無限生命力和高遠的境界，可以說，魯迅的"中間物"是對周易傳統"中道"的揚棄繼承和發展，是對儒家中庸之道的正本清源和"返本開新"。魯迅的"不易"的中間物思想還告訴我們：世界萬物的運動變化不可固執地拘泥於常規法則，只有變化才是永遠的不變，只有"變易"才是永恆的"不易"。《周易》所說的陰陽和諧中正思維並不是僵化不變的，陽剛和陰柔也並不是孤立的存在和發展著的，而是相互作用和轉化的。孔子和魯迅都以自己的方式繼承和發展了傳統的"和實生物，同則不繼"的觀念。孔子和魯迅都是要通過不同事物間的互動、互補，在變動中達到一種新的平衡與和諧統一。這種新的平衡就是運動"變易"中的平衡，是"時中"，是"與時偕行"，適時變通，是"窮則變，變則通，通則久"[54] 的創新精神的體現。和孔子一樣，魯迅也是一位偉大的變革者。魯迅對孔子也不僅僅只是否定的批評，魯迅曾經說過："孔丘先生確實偉大，生在巫鬼勢力如此旺盛的時代，偏不肯隨俗談鬼神"。[55] 魯迅還認爲孔子"不滿於現

---

53 魯迅：《反"漫談"》，《魯迅全集》，北京：人民文學出版社，2005 年版，第 3 卷，頁 484。

54 秦磊編著：《大眾白話易經》，《係詞傳》三秦出版社，1990 年 10 月版，頁 334。

55 魯迅：《再論雷峰塔的倒掉》，《魯迅全集》，北京：人民文學出版社，2005 年版，第 1 卷，頁 202。

狀"，對社會現實是"要加以改革"的。[56]魯迅還指出："至
於孔老相爭，孔勝老敗，卻是我的意見：老，是尙柔的；'儒
者，柔也'，孔也尙柔，但孔以柔進取，而老卻以柔退走。
這關鍵，即在孔子爲'知其不可爲而爲之'的事無大小，均
不放鬆的實行者，老則是'無爲而無不爲'的一事不做，徒
作大言的空談家"。[57]由此可見，魯迅對孔子的'知其不可
爲而爲之'的進取精神是充分肯定的。也正是在孔子的影響
和感召下，魯迅不畏艱險甘做"中間物"的翻譯橋樑，"別
求新聲於異邦"，成其爲偉大的國民思想的啓蒙者和新文學
的開拓者。從歷史發展的進程來看，魯迅的"中間物"就是一
種改革創新的現代意識，它與周易的"時中"、孔子的"以柔
進取"是一脈相承的，它們都包涵著改革創新的思維和理念。

魯迅"一切都是中間物"思想是他所從事了 33 年的翻
譯生涯的理論支持。魯迅以生命做"中間物"來翻譯溝通中
西文化，他主張與不同文化的內在關聯，主張以公正和科學
的價值標準來評價不同文化，促進不同文化間的相互融合，
對民族文化的建構和發展起了積極的作用。就文化交流來
講，魯迅所說的"中間物"不屬於中西方任何一種文化體
系，但是它又保持著與原屬傳統文化的內在聯繫。這種"中
間物"的文化意識既保留了中國傳統文化中的"中道"優秀
因數，又超越於特定的一種文化意識之上，從而可以從更爲

---

56 魯迅：《流氓的變遷》，《魯迅全集》，北京：人民文學出版社，2005 年版，
　第 4 卷，頁 159。
57 魯迅：《〈出關〉的"關"》，《魯迅全集》，北京：人民文學出版社，2005
　年版，第 6 卷，頁 539。

客觀公正的視野下來建立新文化的價值標準，來更新與溝通不同文化之間的聯繫，來促進不同文化間的融合與創造繁榮。可見魯迅所講的這種新的民族文化既有異於中國的傳統文化，又不同於外來的西方文化，它是一種"中間物"的、世界文化大視野中的嶄新的民族新文化。這是因爲魯迅一方面對中國傳統文化具有深刻的理解吸收和批判揚棄，另一方面他對西方現代文化各個層面有著全面的瞭解與把握，他才能在中西兩種文化的對比和研究中提出自己對民族文化的創新見解和思路。20 年代時期，劉半農贈給魯迅一副對聯，評價魯迅爲"托尼學說，魏晉文章"，[58]可謂正確的評價。魯迅自己也承認他的思想中既有中國文化的不變的傳統價值，又有對西方文化和哲學思想的廣泛的接收和汲取。

在《文化偏至論》一文中，魯迅說："明哲之士，必洞達世界之大勢，權衡校量，去其偏頗，得其神明，施之國中，翕合無間。外之既不後於世界之思潮，內之仍弗失固有之血脈，取今復古，別立新宗，人生意義，致之深邃，則國人之自覺至，個性張，沙聚之邦，由是轉爲人國。"[59]可見魯迅在中華民族文化的發展與繼承問題上是"好古而不忽今，力今而不忽古"的。魯迅指出的這一文化繼承和發展的道路，是一條與周易傳統文化精神相符的"融合"的"中正"之路，它的原則與理念至今仍具有現實的指導意義。"魯迅不

---

58 孫伏園：《魯迅先生逝世五周年雜感二則"托尼學說、魏晉文章"》，《魯迅先生二三事 —— 前期弟子憶魯迅》，河北教育出版社，2001 年，頁 75-76。
59 魯迅：《文化偏執論》，《魯迅全集》，北京：人民文學出版社，2005 年版，第 1 卷，頁 57。

僅是最富於中國特色的文化巨人，而且是中國近代文化史上最能以宏大的氣魄、正確的態度接受外國文化滋養的偉大先哲。"[60]由於魯迅確立了"一切都是中間物"的根本觀念，他就能夠在思想上超越他人，在中西文化的碰撞中解放思想，進行思想文化觀念的現代化轉換，而不是像他以前的知識份子那樣抱殘守舊，緊緊抓住"中學西學"、"體用"、"道器"之類的傳統概念不放。由此，魯迅勇敢地走出固有的傳統文化的圈子，去迎接中西兩種文化的衝突與碰撞的"中間"地帶，探究吸收西方文化中自己所沒有的新的文化因數，以利改變更新中國傳統文化，以此來迎接"中國歷史上未曾有過的第三樣時代"[61]。

綜上所述，"中間物"思想是在融會貫通中國傳統文化優秀因數和外來文化優秀因數的基礎上所形成的一種新的更加完美的統一體。魯迅說"一切都是中間物"，就是說世界上絕對的完美是不存在的。但"中間物"給我們的啟示並不僅僅如此。我們還看到"中庸"之道雖然是凡人所高不可及的至善的"恰好"的度，但人卻是可以無限地接近這個完美的"中"的，人是可以也應該有這種精神追求的。這一點是和孔子的"知其不可而為之"是一致的。由此可見，魯迅的"中間物"是一種變化發展著的、無限接近理想的"中庸"的一個節，魯迅說："不滿足是向上的車輪"，可見"中間

60　張夢陽：《魯迅與中外文化比較研究史概述》，《魯迅與中外文化比較研究》北京：中國文聯出版公司出版，1986年版，頁21。

61　魯迅：《燈下漫筆》，《魯迅全集》，北京：人民文學出版社2005年版，第1卷，頁225。

物"儘管是"不滿足"、是有限、是欠缺,但它卻有著一種永久性的向上的追求和發展的趨勢,而正是這種趨勢推動著社會的向前發展和生命的不斷追求和精彩呈現。所以,我們可以有理由地說魯迅的"中間物"思想是對《周易》中道思想的繼承發展和對"中庸"價值觀的揚棄演繹。正是因為魯迅從"一切都是中間物"的觀點出發,他才能夠高瞻遠矚地審視中西兩大文化的不同和差異,並融合兩種文化的合理因數為本民族指明"外之不後於世界之思潮,內之仍弗失固有之血脈"的文化發展新方向,理性地以西方文化的參照系來對照中國傳統文化的弊端,來尋找阻礙民族文化現代化的深層文化障礙,從而提出自己的關於人的啟蒙、改造國民性,重鑄民族精神的主張與思想,而又正是中華民族傳統的中道思想給了魯迅"中間物"思想以啟迪和演繹的成功。

魯迅由歷史"中間物"觀念而產生的現代理性精神,還是一種崇高的社會責任感。也正是出自歷史"中間物"的現代理念,魯迅不僅解剖他人,抨擊黑暗,而且更為嚴厲地剖析自我,超越自我。魯迅說過:"我的確時時解剖別人,然而更多的是更無情面地解剖我自己。"[62]他還說,"我知道我自己,我解剖自己並不比解剖別人留情面。"[63]魯迅還認為他自己的靈魂裡有"毒氣"和"鬼氣",他"自己正苦於背了這些古老的鬼魂,擺脫不開,時常感到一種使人氣悶的

---

62 魯迅:《寫在〈墳〉後面》,《魯迅全集》,北京:人民文學出版社,2005年版,第1卷,頁300。

63 魯迅:《答有恆先生》,《魯迅全集》,北京:人民文學出版社,2005年版,第3卷,頁477。

沉重。就是思想上，也何嘗不中些莊周韓非的毒，時而很隨便，時而很峻急。"[64]魯迅的這種嚴於自我剖析、自我反省的精神，是現代知識份子理性精神的體現。魯迅這種不同凡響的現代人格的特徵，也正是歷史"中間物"的產物。正是魯迅歷史"中間物"的現代理性精神使他特立獨行，在審視中西文化衝突中，堅持自己獨立的價值判斷標準，一腔浩然正氣與鐵骨錚錚，堅持真理，在繼承中國文化優秀傳統的同時不拘泥於"代聖人言"的傳統模式，"富貴不能淫，貧賤不能移，威武不能屈"地堅持自己心目中的真理標準。也正是因為魯迅站在歷史"中間物"的位置上來進行觀念上的現代轉換，才能更新對世界與自我的認識，才能直面人生、自我反省，對外搏擊黑暗，對內解剖自我，由此開拓出新的人生境界。所以說，魯迅的翻譯和創作的創新成就的取得，是得益於他的由中國"貴中"傳統而演繹得來的"中間物"思想的，正是因為魯迅"中間物"思想在翻譯文學理論和實踐中的成功運用，使他能夠借助翻譯的中間物"橋樑"，向國人譯介西方以喚醒國民的。

　　由此我們可以總結魯迅的翻譯人生的啟示：他把自己的生命鑄造成"中間物"的翻譯橋樑來溝通中西兩種文化，正是他的"中間物"理念使得他可以理性面對東西兩種文化、不盲目陷於其中任何一種。他站在兩種文化"中間"的超越的位置，來對其進行深刻的觀察反省與批判選擇，來認識整個世界的本質。也正是出於"中間物"的立場，魯迅才能夠

---

64 魯迅：《寫在〈墳〉後面》，《魯迅全集》，北京：人民文學出版社，2005年版，第 1 卷，頁 301。

使自己的思想超越同時代的人，他不僅關注中國人的現實生存境遇與出路，而且深切關注著整個人類與生命個體的存在和發展。他把自己置於時代的前沿位置，激揚文字，爲建構中國新文化而吶喊。從魯迅一切都是"中間物"的思想的提出，到他的論著與翻譯的創新實踐，以及他的"中間物"的做人原則、做事風格，我們可以總結：魯迅的"中間物"思想的提出，是他對中國傳統文化典籍深諳與潛移默化的結果，是他對中國《周易》的尙"中"思想、"變易"思想的繼承發展和演繹，在今天它仍然是一個有待進一步評說的新主題，是一個可以常說常新的博大精深的永恆"不易"的生命哲學主題。

三 "拿來主義" 翻譯原則的 "不易"

正是在"中間物"的人生哲學思想指導下，魯迅大力提倡"拿來主義"的翻譯引進。回顧歷史我們知道，"五四"運動時期外來文化對中國的傳統文化進行了猛烈的衝擊，國內一度大有"全盤西化"之勢。但是很快人們就發現，完全模仿西方文化是行不通的，於是在上個世紀三十年代又興起了"發揚國光"的復古潮流，魯迅的"拿來主義"正是在這種背景下提出的。但魯迅的"拿來主義"區別於"五四"運動時期的一味模仿，魯迅的"拿來"是有選擇的拿來，是爲我所用的拿來，是不卑不亢的拿來。"拿來主義"強調的是自己的這個選擇標準。魯迅指出："我們被"送來"的東西嚇怕了。先有英國的鴉片，德國的廢槍炮，後有法國的香粉，美國的電影，日本的印著"完全國貨"的各種小東西。於是連清醒的青年們，也對於洋貨發生了恐怖。其實，這正是因為那是"送來"的，而不是"拿來"的緣故。所以我們要運用腦髓，放出眼光，自己來拿！"[65]由此可見，魯迅的翻譯文學選擇的目的性是很強的，即選擇那些可以用來借鑒、影響、改造中國的國民性、改造中國社會的外國文學作品。魯迅還進一步解釋道："拿來主義"是要有選擇的自己去拿，就像面對"一所大宅子"時，"如果反對這宅子的舊主人，怕給他的東西染汙了，徘徊不敢走進門，是孱頭；勃然大怒，放一把火燒光，算是保存自己的清白，則是昏蛋。不過因為原是羨慕這宅子的舊主人的，而這回接受一切，欣欣然的蹩進臥室，大吸剩下的鴉片，那當然更是廢物"。[66]可見"拿來主義"者是決不要盲目地去做"孱頭"、"昏蛋"和"廢物"，而是要去其糟粕留其精華，要"運用腦髓，放出眼光，自己來拿"。魯迅的"拿來主義"在翻譯選擇中充分體現了的高尚譯德與超前意識和創新思維，使他不僅以深邃的目光選擇符合自己理想追求與目標的翻譯文本，而且在翻譯實踐的同時，豐富和更新著自己的文學創作思想和實踐。

　　魯迅不論是在早期翻譯中所採用的"歸化"意譯策略，還是在晚期翻譯中所採用的"異化"直譯策略，他都是以"拿來主義"的態度，放出腦髓自己來拿取那些利國利民的

65　魯迅：《拿來主義》，《魯迅全集》，北京：人民文學出版社，2005 年版，第 6 卷，頁 40。

66　魯迅：《拿來主義》，《魯迅全集》，北京：人民文學出版社，2005 年版，第 6 卷，頁 40。

有"優化"語言價值的東西。魯迅"拿來主義"的翻譯使我們看到,在東西新舊文化的碰撞和衝突中,當雙方處於不平衡的力量對比中,譯者仍然可以發揮出極大的主體能動作用。由此,"拿來主義"是一條"不易"的真理。

綜上所述,翻譯的目標、翻譯的藝術、翻譯的規律和策略等等,這些都是"不易"的客觀規律。縱觀魯迅的翻譯人生,他一生中對翻譯傾注了大量的心血和時間,他不僅翻譯了大量的文學作品,還有很多論著涉及到翻譯理論建設的各個方面。目前關於魯迅翻譯文學理論的論述一般歸納為:關於翻譯的目的論說;關於"直譯"的理論;關於翻譯的語言創新問題;關於轉譯和複譯問題;關於翻譯批評理論等幾個方面。在魯迅的這些翻譯理論論說中,他的直譯的"異化"翻譯策略特別受到關注。魯迅直譯的"異化"翻譯理論與實踐,曾經引起當時中國文壇的軒然大波和激烈論戰,而這種論戰反倒進一步促進了魯迅譯論的成熟與發展,使其內涵和現實意義得到不斷的強化。而魯迅的直譯策略比美國翻譯理論家韋努蒂提出、並在全球風行的當代"異化"翻譯理論早了 86 年[67],今天魯迅的直譯理論仍然具有其現實意義和研究借鑒的價值,魯迅直譯策略的遠見卓識和它對中國現代翻譯理論的開拓創新作用是不應當被遺忘的,它的"不易"的理論價值與翻譯實踐指導都將永載史冊。[68]

---

67 1995 年,美國翻譯理論家勞倫斯·韋努蒂在其代表作《譯者的隱身:一部翻譯的歷史》(Translator's Invisibility: A History of Translation)中提出阻抗式翻譯策略,即異化的翻譯策略。而魯迅是從 1909 年出版的《域外小說集》開始就提倡直譯的異化翻譯方法的。

68 關於魯迅翻譯理論的具體內容參見吳鈞著《魯迅翻譯文學研究》第二章。

　　除了魯迅在翻譯理論方面的傑出建樹之外，他在詩歌理論的建設上也留下了不少寶貴的"不易"的規律總結。例如他在 1908 年發表的著名論文《摩羅詩力說》就是他的創新的詩學理論的宣言。《摩羅詩力說》為認作是我國近代最早的詩論之一，它開創了比較文學的先河。這篇論著集中體現了魯迅的詩學思想，反映了他的美學觀點，並就詩的定義、詩的起源、特質、功能、表現的內容，以及詩人應盡的職責與天職等詩學重要問題都進行了論述，《摩羅詩力說》不僅展示了魯迅從年輕時代就形成的審美觀，而且還表現了魯迅的人生價值觀和理想追求。正是因為樹立起了這樣的"不易"的價值觀和理想，魯迅才能將文學、詩歌創作與"啟蒙國民"、"立人"的目標相聯繫，並在一生不變的追求中達到輝煌的成就。魯迅《摩羅詩力說》的"不易"的詩學思想至今仍然對當今中國的新詩發展具有開拓和啟示的現實意義。

　　總之，《易經》包含"簡易"（簡單容易）、"變易"（改變轉化）、"不易"（不變）這三層意思。但易經的三義並非並列通行，其主旨是"變易"。借助"易學"哲學的整體思維，我們就可以將"翻譯"理論的研究用"易學三義"來進行綜合分析概括的研究。對於翻譯來說，"簡易"就是簡潔守信的翻譯目的和傳播理念，"變易"就是根據翻譯目標和不同文本的"譯藝變通"，而"不易"的是譯理的恒定與魯迅"中間物"翻譯哲學的永恆價值。

第三章　魯迅詩歌英譯的藝術探究
——神形韻

　　中華民族是一個熱愛詩歌的民族，中國的詩歌傳統源遠流長，認真閱讀魯迅的詩歌，就會發現他對中國詩歌傳統的繼承和發展。在魯迅的詩歌裡，我們可以看到屈原、杜甫等中國古代偉大詩人的傳統。然而魯迅用新的思維方式和時代的新的價值觀，極大地拓展和發展了中國的詩歌傳統，超越了古代的詩人。魯迅無意當詩人，但他卻以他的精美絕倫的詩作和詩歌理論在詩壇上佔據重要的地位。

　　魯迅詩歌的精彩決定了它的英譯並非易事。詩歌英譯的藝術有其一定的規律，這些規律就屬於第二章所探索的《譯易學》裡易之"不易"之內容。要翻譯好魯迅的詩歌就要首先解決魯迅詩歌的理解問題。

　　魯迅的詩歌精彩典雅地表達了詩人的自我情感與意識，他的詩歌蘊涵著他的人生價值觀、他的思想與追求、他的幽默諷刺的風格等詩歌技巧。而要很好地在譯文中再現魯迅的詩歌特點，就要注意以下幾個主要的部分。

第一節　意美與神似

　　在魯迅的青年時代，通過對西方尼釆等人的思想研究，在繼承發揚中華傳統史學的基礎上，魯迅接受了德國哲學的思想，因之他在人格氣質上都與西方的摩羅詩人派有著相同之處，對尼釆的浪漫主義精神有著認可。特別是尼釆的“超人”的理論，他的具有孤獨感與冒險精神的詩學，對魯迅有很大的影響。與尼釆一樣，魯迅的詩文中充滿了對生命的追問，對生命之光的讚美，對一切世俗的猥瑣事物的痛斥和批判。魯迅從青年時代起，他的詩作就顯示出強烈的追求真理、凸顯個體生命力與意志力的浪漫主義哲學品質。從這時起直到他的生命終止，魯迅的這種強烈的詩人氣質和個性都保留在他的文學與詩歌創作中。魯迅的詩歌沒有空泛的無病呻吟，沒有嘩眾取寵的麗詞，沒有司空見慣的有閑階層的隱逸之夢囈，有的只是充滿熱情、堅定信念的一個戰士的吶喊和對真善美的追求，有的只是冷峻的激蕩心靈的又激揚文字和感人至深的精神品格。在魯迅的詩歌裡，展現的是抗爭者的人格魅力，高揚的是生命價值的旗幟，他的詩歌以其純淨的性情，偉大的氣魄獨樹一幟。閱讀魯迅的詩歌，我們看到的是一個立于荒野墳地的孤獨的鬥士，頂著狂風暴雨，笑傲亂雲飛渡，大笑著悲歌一曲，率真前行。

　　魯迅的詩歌給我們以意象純美，當然相應的翻譯首要的標準就是要神似，要充分展示魯迅詩歌的這種精神氣質。下面就魯迅的幾首詩歌做以下的分析。

自題小像（1901 年）

靈台無計逃神矢，風雨如盤闇故園。
寄意寒星荃不察，我以我血薦軒轅！

翻譯：

Inscription on My Photo

The arrows of Cupid my heart can never escape,
Wind and storm dimmed my motherland like a heavy stone.
I send my prays for my people to the chilly stars in vain,
All my blood is willing to be shed for my country and home.

（吳鈞譯）

　　魯迅的這首詩歌寫於 1903 年，詩歌共四句，言短意深，是青年時代的魯迅表達他立志報國的詩作，是青年魯迅的人生理想和誓言的意境美的典範。此首詩歌出手不凡，詩歌內涵豐富，意境開闊，豪氣沖天。詩歌前兩句是對悲慘人世的體悟，後兩句是抒發自我的情感獨白。意境萬千，氣吞山河。對這首詩歌中的一些用詞歷來有不同的解釋，這些典故的理解一定要結合時代背景在翻譯之前搞清楚。例如前兩句"靈台無計逃神矢，風雨如盤闇故園"句中的"靈台"、"神矢"都出自典故。試比較對這句現有的翻譯版本：

1. The spirit tower holds no plan to dodge the arrow of gods or man,[1]

2.My hallowed heart fails to escape the sacred arrow's aim.[2]

3.The tower cannot avoid the gods' sharp arrows;[3]

4.There's no way for my heart to shun the Cupid's arrowhead,[4]

5.There's no way for my heart to evade the arrows of Cupid,[5]

　　通過以上五種翻譯的比較，我們可以看出，對"靈台"有"the spirit tower"、"my hallowed heart"、"the tower"、"heart"的幾種譯法的，根據對典籍《莊子．庚桑楚》中"不可內於靈台"句郭象注為："靈台，心也。"[6]的解釋，"靈台"是指心靈。在對魯迅詩歌中"靈台"的理解和用英語的翻譯表達上，中國人略勝一籌。儘管英美人士有母語是英語的優勢，但他們疏於理解，所以譯文反而不如中國人來的準確與簡明扼要。對"逃神矢"的翻譯，根據字面意思直譯差距不大，但實際的理解卻也相差不少。"神矢"原意出自希臘神話的愛神之箭，在魯迅的這首詩歌裡應是轉意，但有人解釋這句轉意為魯迅要逃避母親為他包辦的婚事，還有人解釋應轉喻為"異邦之刺激"，如日本軍國主義

---

1 Jon Kowallis: The Lyrical Lu Xun, University Of Hawaii Press, 1996, P.102.

2 David Y.. Ch'en: Lu Hsun Complete Poems, Arizona State University, 1988, P.65.

3 W.J.F. Jenner: Lu Xun Selected Poems, Foreign Languages Press, 2000.

4 吳鈞陶：魯迅詩歌選譯，上海外語教育出版社，1981 年，頁 19。

5 黃新渠：Poems of Lu Hsun，Joint Publishing Co.Hongkong，1981.

6 轉引自吳中傑編著《吳中傑評點魯迅詩歌散文》，復旦大學出版社，2006 年版，頁 24。

者的歧視等。詩歌後兩句 "寄意寒星荃不察，我以我血薦軒轅" 中的 "寒星"、"荃不察"、"軒轅" 中的象徵意義也有著不同的解釋。如 "軒轅" 就有幾種譯法："Xuan Yuan, our progenitor"、"the Yellow Emperor"、"my old Cathay"、"my great mothland" "my country and land"等，可見理解應爲翻譯的第一步，只有準確的理解，才談得上譯文的準確與傳神。在理解的基礎上傳神的譯文就是要著力把握住魯迅這首詩歌的主旨：表達青年魯迅對祖國封建統治的憂思以及他立志爲祖國獻身的誓言，在此基礎上精心推敲選詞才能達到傳神的翻譯效果。

自嘲[7]（1932 年）

運交華蓋欲何求，未敢翻身已碰頭。
破帽遮顏過鬧市，漏船載酒泛中流。
橫眉冷對千夫指，俯首甘爲孺子牛。
躲進小樓成一統，管它多夏與春秋。

翻譯：

Self-Mockery

What can I ask for if I fall into Huagai the bad fortune ?
I bumped my head even before I turn it over for a venture.
Broken hat covered my face , I go across the busy street,

---

7 此詩爲魯迅 1932 年 10 月 12 日應南社詩人柳亞子所請而作。

On board of the leaky boat with wine, drifting over the stream.

Eyes glared, I calmly defy the thousand pointing fingers,

Head bowed, I willingly serve like a cow to her youngsters.

Hiding in a small building, I make my world behind the door,

I shall not care the cycling of the four seasons anymore.

（吳鈞譯）

　　魯迅的詩歌《自嘲》中，自我謙稱爲“閒人打油”詩，實則是自嘲自解。由於理解的不同，就會有不同的翻譯。例如：“橫眉冷對千夫指，俯首甘爲孺子牛”，這兩句詩因其強烈的愛恨分明的情感而成爲家喻戶曉的名句，翻譯這兩句也應在氣勢上突出強烈的對比。如“橫眉冷對”句，這裡筆者以爲“Eyes glared, I calmly defy the thousand pointing fingers”句譯將“橫眉”按英語表達的習慣譯爲“Eyes glared,”（怒目相對），但有譯爲“fierce-browed”的，但眉毛（brow）與殘忍的、兇猛的、猛烈的（fierce）放在一起，不太符合英語的慣用詞彙搭配。還有譯作“Cooling I face ── ”的，意思稍遠了；還有譯成“Eyes askance, I cast a cold glance at ── ”的，也有繁瑣之嫌。對“躲進小樓成一統，管它多夏與春秋”句也有不同的理解。如有人解釋爲是對當時社會上那種只關心個人生活的安逸與享受，不顧國家前途命運的人的諷刺；也有人解釋爲魯迅是說自己修築自己的“成一體”的戰壕，保存自我、消滅敵人。所以，譯文不僅有字面意思，還要表達出深層含義的神韻，這就需要更爲深入的對原作和譯文的推敲和細解，以準確把握住原作的意境和翻譯的傳神。再如：

蓮蓬人（1900 年）

芰裳[8]荇帶[9]處仙鄉，風定猶聞碧玉香。
鷺影不來秋瑟瑟，葦花伴宿露瀼瀼[10]。
掃除膩粉呈風骨，褪卻紅衣學淡妝。
好向濂溪[11]稱淨植，莫隨殘葉墮寒塘！

翻譯：

Lotus Seedpod

Water chestnut dress, floating grass belt, growing in fairyland,
Even the breeze may cease，lingering your fragrance of jade.
Aigrets disappear and autumn wind whistling around,
Flowers of reed in bloom, dew drops for the night added.
Clearing away flaring makeup, your pureness and grace found,
Taking off the red clothes, your simplicity and grace displayed.
Firm and still like Lianxi's saying, you upright stand ,
With withered leaves falling into cold pond never lapse.

8　芰裳 —— 芰（ji）菱。屈原《離騷》："制芰荷以爲衣兮，集芙蓉（荷花）以爲裳。"
9　荇帶 —— 荇（xing）水草。杜甫《曲江對雨》："水荇牽風翠帶長。"
10　瀼瀼 ——（rángráng）形容露水濃。
11　濂溪 —— 宋朝周敦頤住在濂溪（今湖南道縣），人稱作"濂溪先生"。他作有著名的《愛蓮說》。

（Autumn 1900.）

（吳鈞譯）

　　在魯迅的《蓮蓬人》一詩中，魯迅先是通過對蓮蓬的外形描寫來表達自己的欣賞之情：在颯颯秋風中，霜氣襲人，鷺鷥飛走了，荷花凋謝了，只有挺立的蓮蓬，以菱葉做裙，荇荄做飄帶，傲然挺立。詩人以此來抒發自己的情感，讚揚蓮蓬不媚凡俗、出污泥而不染的高潔正直，和它的純清的風骨之美。詩人稱讚的是蓮蓬，表現的是詩人自己堅守的純真思想和人格品質。

　　譯文要表現原詩的意境和風釆，首先要把握原詩歌的風骨美。魯迅學習古人對蓮花出污泥而不染的讚揚，但又另闢蹊徑，歌頌了當蓮花也凋謝後仍然亭亭玉立的蓮蓬，這更表現出了一種超凡脫俗的神韻。

　　在譯文中，選詞的精確是十分重要的。例如“蓮蓬人”譯為“Lotus Seedpod”，還有譯為“Lotus Pod Lady”的，還有譯為“Lotus Seedpod People”的等，這幾種不同的譯法自有不同的體驗和理解的區別。“秋瑟瑟”和“露瀼瀼”的對偶句對仗工整，要譯出原文韻律的精彩卻很難。

　　舉一反三，在魯迅的這類詩作中，沒有花前月下的悠閑清唱閑歌和孤芳自賞，有的只是奮鬥的熱情、坦蕩磊落的情操和為正義獻身的品格。魯迅的一些新體詩中的幽默、率直是他的詩歌的又一神韻特色。如他的打油詩《我的失戀》和民歌體詩《好東西歌》，都帶有“戲謔”之意。這樣的詩歌意思明白，讓人讀來忍俊不止，相應的詩歌英譯是否能傳神達意就需要很好地推敲用詞。例如：

我的失戀[12]
—— 擬古的新打油詩（1924）

我的所愛在山腰；
想去看她山太高，
低頭無法淚沾袍。
愛人贈我百蝶巾；
回她什麼？貓頭鷹。
從此翻臉不理我，
不知何故兮使我心驚。

我的所愛在鬧市；
想去尋她人擁擠，
仰頭無法淚沾耳。
愛人贈我雙燕圖；
回她什麼：冰糖葫蘆。
從此翻臉不理我，
不知何故兮使我糊塗。

我的所愛在河濱；
想去尋她河水深，
歪頭無法淚沾襟。
愛人贈我金表索；

12　《我的失戀》的創作是針對當時文壇上盛行的"哎呦喂，我要死了"的
　　失戀詩而創作的。魯迅此詩是用來諷刺那些扭捏作態的戀愛詩的，也是
　　用來警示當時的青年人。

回她什麼：發汗藥。

從此翻臉不理我，

不知何故兮使我神經衰弱。

我的所愛在豪家；

想去尋她兮沒有汽車，

搖頭無法淚如麻。

愛人贈我玫瑰花；

回她什麼：赤練蛇。

從此翻臉不理我，

不知何故兮 —— 由她去吧。

1924.10.3.

翻譯：

My Lost Love[13]

（archaistic doggerel）

My love lives on the mountainside,

I want to see her but the mountain too high,

With lowered head and tear-stained gown of mine.

My love presents me with a hankerchief as her all,

 with hundred of butterflies embroidered ;

What shall I give her in return? —— an owl .

Since then she falls away and goes-by ,

I'm frightened and I don't know why.

---

13 Lu Xun wrote this humorous doggerel poem to ridicule and satirize the prevailing poems of love which stroke attitudes at his time, such as "oh, I 'm going to die".

My love lives in the busy town,

I want to see her but too much a crowd

With upward face and tear-stained ears but no way out.

My love presents me with a picture of double- swallow.

What shall I give her in return? —— ice frozen sweetmeats gourd.

Since then she falls away and goes-by,

I'm confused and I don't know why.

My love lives on a river shore,

I want to see her but the water too deep and broad,

With tilted head and tear-stained garment front ,no any thought,

My love presents me with a gold watch chain;

What shall I give her in return? —— sudatory the medicine.

Since then she falls away and goes-by,

I'm crack-up and I don't know why.

My love lives in a grand villa away far,

I want to see her but have no car,

Pouring tears like sea , with my head's shake,

My love gives me roses sweet and grace;

What shall I give her in return? —— rainbow snake.

Since then she falls away and goes-by,

I don't know why and Let her do as she likes.

（1924）

（吳鈞譯）

　　從魯迅的這類詩歌可看出，中國舊時代詩人那種迂腐的書卷氣在魯迅的詩歌中是不存在的，魯迅的這類詩歌表現了詩人的幽默與機智，以及他的善於觀察與形象地再現所諷刺對象的才智。在《我的失戀》一詩中，魯迅針對當時社會流行的無病呻吟的失戀詩進行了嘲笑與挖苦，在詼諧幽默中表達了自己高超的思想意境。這樣的詩歌藝術就對翻譯提出了較高的要求。對於如何在譯文中再現這種生動幽默的意境，使譯文讀者也感受到原作的詼諧滑稽的格調，領略到魯迅特立獨行的美學精神，就不僅僅是一個遣詞造句的問題，還涉及到譯者的生活經歷和對藝術的感悟力。譯文的精煉與蘊含的幽默感還要依賴認真推敲比較用詞、精心選擇才會奏效。

　　再如：

好東西歌

南邊整天開大會，北邊忽地起烽煙，
北人逃難南人嚷，請願打電鬧連天。
還有你罵我來我罵你，說得自己蜜樣甜。
文的笑道嶽飛假，武的卻雲秦檜奸。
相罵聲中失土地，相罵聲中捐銅錢，
失了土地捐過錢，喊聲罵聲也寂然。
文的牙齒痛，武的上溫泉，
後來知道誰也不是岳飛或秦檜，聲明誤解釋前嫌，
大家都是好東西，終於聚首一堂來吸雪茄煙。

翻譯：

Song of the Good Things

Meetings of the south all day long,
While in north burning the beacon fire of war.
Northern people flee and southerners shout,
Petitions and cables busy around .
You curse me and I swear at you,
Everyone boasts himself man of honeydew.
Civilians mock at those who are fake Yue Fei,
While militarists speak of evil Qin Hui.
Amid the quarrels the country lost its land,
During the cursing the tax's in hand.
After the land is lost，the money made,
Shouting and swearing to silence to fade.
Civilians get toothache, militarists go to hot- spring.
It turned out later no one is Yue Fei or Qin Hui ,they agree.
Get reconciled ,and declare the misunderstanding all they are.
Alas, all of us good things, sit and gather round for cigars.

（吳鈞譯）

　　魯迅的民歌體詩歌《好東西歌》充分運用辛辣的諷刺，
嘲笑了所謂正人君子的偽善面目。詩歌意在諷刺當時國民黨
執政者的亂哄哄的派系鬥爭以及對敵的不抵抗行徑。魯迅的
這類民謠體的詩歌，雖然少了一些傳統詩歌的典雅之氣，但

是不乏深刻的意境和嬉笑怒罵的風骨。

　　在翻譯中要抓住詩歌的主題，恰當地把握住詩歌的風格，運用不同的翻譯手法和精心選詞，才能達到傳神翻譯的預期效果。例如詩歌最後一句"大家都是好東西，終於聚首一堂來吸雪茄煙"極具諷刺意味，無情地嘲笑了當時執政者的昏庸無恥和無休爭吵的醜態。譯文對應爲"All of us are good things. Alas, at last sit and gather round for cigars"。其中"好東西"直譯爲"good things"好呢，還是意譯爲"good sort"或"made of good stuff"更能反映出原詩的意境和神韻值得再推敲。

第二節　形美與句似

　　魯迅雖然寫格律詩，但他的格律詩卻一改中國舊體詩的陳舊格調，將中國格律詩從陳年老套中解放出來，爲格律詩開拓出新的境界。一般來講，魯迅對詩歌的形式並不太講究，也更不會爲了形式而破壞詩的意境。他的詩作總是任意揮灑，無拘無束。若看到八股式的詩文，或無病呻吟的詩歌，他總是予以嘲笑和辛辣的諷刺的。但這並不是說魯迅的詩歌就沒有形式，恰恰相反，魯迅新穎別致的詩歌形式美是很突出的，特別是他超越古人格律詩的精煉與句式的整齊、古爲今用的格律詩口語化的革新、格律詩的現代精神的轉化等，都對中國詩歌的發展做出了巨大的貢獻。

　　如魯迅《吊大學生》一詩歌就是對唐朝詩人崔顥的《黃

鶴樓》形式的轉用，在《學生和玉佛》中將格律詩口語化的嘗試，也體現了精彩的形式美。魯迅的"托尼文章，魏晉風骨"的文風也生動地體現在他的詩歌創作中，這就對翻譯的形式美和句型提出了相應的要求。如：

吊大學生（1933 年）

闊人已騎文化去，此地空余文化城。
文化一去不復返，古城千載冷清清。
專車隊隊前門站，晦氣重重大學生。
日薄榆關何處抗，煙花場上沒人驚。

翻譯：

Mourning For the College Students

The rich has ridden and gone on culture,
　　only the empty cultural city is left and stay.
The culture will not return since its departure,
　　the ancient city will a millennium stagnancy remain .
Flowing the stream of special trains in Qianmen station,
　　while unlucky and unfit college students facing the invasion.
Where is the place with setting sun of Elm Pass for defense,
Not even a speck of scare in the field of misty-flowers to sense.[14]

（吳鈞譯）

---

14 mist-flowers: Chinese euphemism for brothels.

在翻譯中，採用異化或歸化的策略，還是採用直譯或意譯的策略，要根據具體的詩歌情況而定，不能生搬教條。在深入理解原詩歌的基礎上，做微細的選詞比較，並在片語、句子、段落的邏輯層面做合理銜接，就會譯出與原詩歌相適配的譯文來。在本詩歌的翻譯中，"闊人"句按原意直譯爲 "The rich has ridden on culture and gone"，"文化一去不復返，古城千載冷清清"句重複片語"文化"，相應的英譯也同樣重複了單詞"culture"，意在達到一種與原詩適配的韻律迴旋與格式整齊的美感。再如：

學生和玉佛[15]（1933）

寂寞空城在，倉皇古董遷。
頭兒誇大口，面子靠中堅。
驚擾詎雲妄？奔逃只自憐。
所嗟非玉佛，不值一文錢。

翻譯：

Student and the Jade Buddha

Lonely deserted city remains here,
Antiques are moved out and disappear.
The big shot has a lot of brags and boasts,

---

15 此詩最初發表於 1933 年 2 月 16 日《論語》半月刊 11 期，署名動軒。見《南腔北調集·學生和玉佛》。

To save face they depend on those backbones.
Why should students be blamed for flee away?
Helplessly they leave with self-pity and shame.
Alas! students are not valuable gems and Buddha of jade,
Their lives are not worthy even a single penny on sale.

（吳鈞譯）

　　本詩歌是魯迅因痛恨國民黨政權對日的不抵抗政策，將故宮文物南運的同時譴責學生奔逃而作。在魯迅創作此詩歌時，正值日寇準備進攻我國華北之時，而北京成了一座 "空城"，不僅古董被南遷，而且毫無任何軍事設防。有民眾團體向國民黨政府抗議指出， "於今古物之遷移是不從事抵抗之表現"。但與此同時，國民黨當權者卻要求 "社會中堅" 的大學生勿 "妄自驚擾" 奔逃。魯迅的詩歌運用平和的白話文，表面看詩歌淺顯滑稽，實則沉痛地哀歎大學生們不如玉佛值錢。詩歌巧妙地引國民黨當權者譴責學生的話加以諷刺與駁斥，詩歌體裁為五言律詩，但詩人運用諷刺意味深長的口語體，創造了一種舊體詩的新風格。

　　在翻譯中也保持了口語的簡潔明瞭和句式的整齊，全詩八句，雙句押大致相同的韻。力求讀起來有讀原詩一樣的詼諧幽默感和整齊的句式感。再如：

寶塔詩[16]

兵

成城

大將軍

威風凜凜

處處有精神

挺胸肚開步行

說什麼自由平等

哨官營官是我本分

翻譯：

Pagoda Song

Soldier

Strong warrior

A great commander

Proud and aggressive manner

With high spirit walk everywhere

Stride on bravely the dignified marcher

Nothing more with freedom and equality whatever

Sentry and guards my destination of commanding officer

（吳鈞譯）

---

16 1961 年 9 月 23 日《文匯報》刊登沈瓞民《回憶魯迅早年在弘文學院的
片斷》一文裡載有這首寶塔詩，並說明是魯迅所做。從 1903-1904 年魯
迅和沈瓞民同在日本弘文學院學日語。

　　這首寶塔詩也是魯迅的一首打油詩。詩歌寫於 1903 年至 1904 年之間，是魯迅的諷刺藝術的開端之作。此寶塔詩共八行，從第一行一個字開始，每行增加一個字至八字一行，並押大致相同的韻。翻譯力求反映出原詩的風格，也是從第一行一個詞開始，每行增加一個詞至八詞一行，句尾與原詩作一樣也押相同的韻。由此，譯文有效地反映出原詩的意境與形式。

第三節　音美與韻似

　　魯迅曾經對中國新詩的發展形式問題提出過自己的看法，在他與他人的通信中他曾說過：詩須有形式，要易記，易懂，易唱，動聽，但格式不要太嚴。要有韻，但不必依舊詩韻，只要順口就好。他還說過：“歌，詩，詞，曲，我以爲原是民間物，文人取爲己有，越做越難懂，弄得變成僵石，他們就又去取一樣，又來慢慢地絞死它。譬如《楚辭》罷，《離騷》雖有方言，倒不難懂，到了揚雄，就特地‘古奧’，令人莫名其妙，這就離斷氣不遠矣。詞，曲之始，也都文從字順，並不艱難，到後來，可就實在難讀了。現在的白話詩，已有人掇用‘選’字，或每句字必一定，寫成一長方塊，也就是這一類。” [17]

　　從魯迅 1934 年寫給《新詩歌》編輯竇隱夫的信中我們可

---

[17] 魯迅：《魯迅全集》，第 13 卷，北京：人民文學出版社，2005 年版，頁 28。

以體察魯迅的詩歌標準，他說："我只有一個私見，以為劇本雖有放在書桌上的和演在舞臺上的兩種，但究以後一種為好；詩歌雖有眼看的和嘴唱的兩種，也究以後一種為好；可惜中國的新詩大概是前一種。沒有節調，沒有韻，它唱不來；唱不來，就記不住，記不住，就不能在人們的腦子裡將舊詩擠出，占了它的地位。……新詩直到現在，還是在交倒楣運。"[18]由此可見，魯迅對新詩發展的標準為首先要有節調，還要押大致相近的韻，以便容易記，並且順口，要能夠唱得出來。魯迅認為白話押韻又要自然順口是頗不容易的。對於當時詩壇充斥著不倫不類的所謂詩歌，魯迅又說道："我以為一切好詩，到唐已被做完，此後倘非能翻出如來掌心之'齊天大聖'，大可不必動手，然而言行不能一致，有時也謅幾句，自省殊亦可笑"[19]

　　魯迅的這些關於詩歌的言論，有些看似開玩笑的隨便說說，但是這些議論並非什麼人都能說出的，只有當對中國詩歌傳統有深刻理解，並對大眾詩歌的欣賞習慣有精細體察，以及有淵博的學識與見解的背景下才能提出。魯迅的這些對詩歌的見解精闢地指明了中國新詩發展的方向，是值得我們認真思考的。

　　詩歌的朗朗上口關係到創作者的文采和詩感。而對此孔子早就有過著名的論斷："言之無文，行而不遠"，就是說文章若沒有文采就不能流行久遠傳播開來。可見詩歌的韻律

---

18 魯迅：《魯迅全集》第 13 卷，《書信集·致竇隱夫》，[M].北京：北京人民文學出版社，2005 年版，頁 249。
19 魯迅：《魯迅全集》，第 13 卷，北京：人民文學出版社，2005 年版，頁 307。

節奏會展示作者的文采和詩才，詩文語言若沒有文采，就不能夠成爲流芳百世的經典著作。一首詩歌的思想境界高遠、含義深刻、啓迪人心是一首好詩的必要元素，但同時還須有精美的對偶、含蓄的隱喻等藝術手法的表現，還要有韻律的和諧，讀起來順口並易記，才能增加讀者的興趣。魯迅的詩歌就是這樣的韻律和諧的典範。例如魯迅在 1931 年寫的《無題》（大野多鉤棘），音韻和諧，對偶連貫，行雲流水，一氣呵成，顯示出大家風範：

無題[20]（1931 年）

大野多鉤棘，長天列戰雲。
幾家春嫋嫋，萬籟靜愔愔[21]。
下土惟秦醉[22]，中流輟越吟。
風波一浩蕩，花樹已蕭森。

翻譯：

Untitled

The thistles and thorns filled with the wild,

With clouds of war covered the long space of sky.

The gentle spring breeze few can feel and sense

---

20 這首詩是魯迅寫給日本人片山松藻的。

21 愔愔[yīnyīn]：形容幽深、悄寂。

22 下土：指中國，出自《離騷》。惟秦醉：只是因爲上帝醉了，才把秦地給了秦穆公。據漢朝張衡《西京賦》："昔者大帝說（悅）秦穆公而觀之，饗以鈞天廣樂，帝有醉焉，乃爲金策，錫（賜）用此土，而剪諸鶉首。"醇首指二十八宿中的井宿到柳宿，指秦國境土。

All sounds are hushed into a dead stilland silence.

Due to the drunk of God, the land of Qin is in sleep.

Yue singing is ceased in the mid of the stream.

When the torrent is billowing and moving on,

The flower trees are desolate and barren then.

（吳鈞譯）

這首詩全詩對偶，整齊押韻。特別是尾聯，如行雲流水，自然連貫，顯示出詩人開闊的視野和高超的詩藝。在翻譯中，英文也儘量採用和諧的韻律，如首句的中間韻 "thistles and thorns"，第二句中的 "space of sky"，第三句中的 "Few can feel"，句尾押大致相同的韻腳：aa, bb, cc, dd。

再如魯迅 1933 年寫的《贈畫師》：

贈畫師[23]

風生白下千林暗，霧塞蒼天百卉殫。
願乞畫家新意匠，只研朱墨作春山。

翻譯：

To A Painter

Wind blows from Nanking and the forests dark,

Fog stuffs the sky and fades the flowers and plants.

I wish you could a new skill of drawing design,

---

23 據《魯迅日記》1933 年 1 月 26 日：此詩是為日本畫師望月玉成所書。

Use only vermeil to paint the peak of spring time.

（吳鈞譯）

　　這首詩歌的前兩句"風生白下千林暗，霧寒蒼天百卉殫。"以對偶的手法揭露了國民黨反動派軍事"圍剿"中大屠殺的罪行，前一句寫天上國民黨飛機對百姓的狂轟濫炸，後一句寫國民黨統治的白區一片恐怖的氣氛。全詩對仗工整，用詞嚴謹，描寫生動，格律悠揚，充分顯示出詩歌的韻律美。在翻譯中，就要首先注意瞭解詩歌的歷史文化背景，還要盡可能地運用準確的選詞與和諧的韻律。譯詩選詞簡明，句式整齊，押大致相同的韻為 aa, bb。

　　綜上所述，魯迅詩歌在意境美、形式美和音韻美方面都是詩歌創作的典範。在翻譯的時候必須細心體察，精選用詞，以翻譯出原汁原味的魯迅詩歌。魯迅的詩歌還有很多的技巧的運用，如：白描、對比、對照、反襯、幽默、諷刺、誇張、反語、雙關諧音、比興等，這些詩歌技巧的翻譯都有規律可依。筆者在本著作第五章在研究的基礎上對魯迅所有的詩歌進行了翻譯，其中的翻譯技巧有待日後進一步分析總結提高。

　　總之，魯迅的詩中很多膾炙人口的名言，不僅是朗朗上口的音韻美的傑作，更是具有很強的感召力的哲理美，例如："無情未必真豪傑，憐子如何不丈夫"，"血沃中華肥勁草，寒凝大地發春華"，"橫眉冷對千夫指，俯首甘為孺子牛"，"心事浩茫連廣宇，於無聲處聽驚雷"，等等。相信在不久的將來，隨著中國文化和文學的世界傳播，魯迅的精彩詩歌定會在世界範圍內廣為傳播。

第四章　魯迅詩歌英譯與傳播的借鑒 —— 他山石

本章分為三小節，分別分析論述西方世界翻譯傳播中國典籍赫赫有名的漢學家理雅各的易經英譯、被譽為 "偉大的德意志中國人" 的衛禮賢的中國典籍翻譯，以及頗具特色的魯迅作品的民俗翻譯，從他們的翻譯中，我們可以汲取對魯迅詩歌翻譯有益的經驗。他山之石可以攻玉。

第一節　理雅各易經翻譯傳播的借鑒與思考

十九世紀末英國傳教士理雅各的易經英譯對中國文化在西方世界的傳播和影響起了巨大的作用，他的譯本經久不衰，至今仍被西方漢學家視為易經外譯的典範。易經是蘊含中華民族文化精髓和智慧的 "群經之首"。自 17 世紀，中國的這部古老的文化經典就已經受到西方世界的關注，到了 21 世紀的今天，世界各種語言文字的研究與翻譯版本更是層出不窮。目前，易經在世界上已經有了拉丁語、英語、德語、法語、俄語、日語等語言的風格各異的多種譯本。然而，至今在西方世界影響最大、權威性最高的仍然當屬 1882 年將《易經》翻譯介紹給西方的英國傳教士理雅各的英譯本。他的譯作被作為易經外譯的典範，對易經在西方世界的傳播和影響起了巨大的作用。對理雅各及其易經英譯本進行探討研究，旨在他山之石可以攻玉，以發現和借鑒其翻譯的特定思路以及譯本的優勢與長處，彌補在魯迅詩歌翻譯方面的不足與弱點，以利新世紀魯迅詩歌英譯的進一步精化與更為廣泛的傳播。

一、理雅各英譯《易經》的成就

理雅各（James Legge, 1815-1897），為 19 世紀英國著名的漢學家。1843 年他以傳教士身份來中國，在香港居住長達 30 多年。他在中國傳教期間，用心研究中國文化典籍，與中國學者王韜合作翻譯中國的四書五經，先後翻譯出《中國經典》（The Chinese Classics）五卷九種。他翻譯的《易經》收入該書的第二卷。他的這本名為《易經》（The Book of Changes）的譯作於 1882 年在牛津大學出版發行，此後曾多次再版。該譯作一經發表就立刻引起轟動，被學界認作為當時最好的譯本，被稱之為西方易學研究史上的“舊約全書”。理雅各的中國典籍譯著譽滿全球，他的《易經》英譯本不僅在他生活的時代開創出西方關注中國文化的新紀元，而且在一百多年後的今天仍然被西方世界奉為易經翻譯的母本，仍然受到西方漢學界的高度崇尚和廣泛閱讀。

　　理雅各是由一名來華傳教士起步成長爲在西方世界赫赫
有名的漢學家的，他開始研究中國文化是爲了能夠找到瞭解
和把握中國人的心靈與思想的鑰匙。他曾經說過，只有透徹
地領悟中國人的經書，親自考察中國聖賢所宣導的道德、社
會以及政治生活的基本思想，才能擔當起自己所處位置上所
承擔的職責。由此，他幾十年如一日地孜孜不倦地鑽研中國
文化典籍，以非凡的毅力不辭辛勞地把中國的典籍翻譯爲英
文，其主要目的是爲來華的西方傳教士提供瞭解中國人思想
的最佳途徑。然而，值得讚賞的是，與其他許多西方傳教士
相比，理雅各全無當時常見的西方早期來華者的那種傲慢不
可一世的上等人姿態，他尊敬中國文化，讚賞中國易經文化
中對真理的態度與追求。他用畢生精力學習、翻譯和傳播中
國文化經典，爲西方世界瞭解中國文化做出了不可磨滅的積
極貢獻。理雅各 1897 年 11 月病逝於英國牛津後，被安葬在
牛津以北的墓地，在他的墓前花崗岩的墓碑上刻著：“赴華
傳教士與牛津大學首任漢學教授”。[1]由此，理雅各走完了向
西方譯介中國文化的一生，他留下的翻譯巨著築起了一座橋
樑，連接著東西方的文化交流，並且至今仍然發揮著重要的
作用。

　　理雅各的易經翻譯被高度評價自有它的道理。他的譯著
的成功完成最重要的因素在於他嚴謹科學的研究態度。據有
學者研究統計，理雅各在五卷本翻譯《中國經典》中列出的
參考書目就多達兩百多種，其中中文參考書多達一百多部，

---

1 Biographical note by Lindsay Ride in The Chinese Classics. Vol. 1.，translated
　by James Legge. Taipei: SMC Publishing Inc, 2001, P.1-26.

包括艱澀的《皇清經解》、《十三經注疏》等中國古典巨著。例如，他在翻譯過程中，採用多部字典和工具書，以及各種他所能夠找到的英文及其他語種的易經譯本進行對比分析研究。由此，理雅各在翻譯過程中所做的大量的艱苦的核查求證工作可見一斑。

　　理雅各的翻譯目標是為來華的西方傳教士服務，他的譯作讀者是那些希望通過他的典籍翻譯瞭解中國的西方人。出於此目標，為了讓他的譯文讀者真實地感受中國的異質文化，理雅各的譯文很大程度上採用的是"異化"的手法，即在譯文中盡可能地保持漢語原文的語序結構。例如：他竟然按照漢語的"謙謙君子"的迭音詞來英譯為"the man who adds humility to humility"。由此，招來了很多人對理雅各譯文的批評。因為這種譯文讀起來不僅不符合西方人的讀寫習慣，而且不能使讀者領悟到原文的精彩與神韻。例如德國的傳教士衛禮賢（Richard Wilhelm）就批評他，認為他的翻譯"呆板、冗長"。但理雅各認為他的異化的譯文是恰當地適應了他的翻譯目的，即讓他的譯文讀者真實地感受中國人的思維和語言，並非他本人缺乏翻譯的技巧。

　　對於理雅各來說，要翻譯好一部像易經這樣的典籍作品，首先要對其有深刻的理解。然而他在理解易經原作方面從一開始就面對著極大的困難。他當時讀到的易經原著及其注釋本呈現出的是歷代多種不同的版本，紛繁雜亂、真偽難辨。他需要廣泛地搜集歷代的不同評注，進行反復的比較與分析、辨別真偽、克服偏見，做出自己的挑選與判斷。這對於一個外國人來說，需要花費比中國人更多的時間和精力。

加之缺乏得心應手的工具書，缺乏已有的參照譯本，他所面臨的困難可想而知。在終於完成了他的翻譯之後，他發出感歎說：對翻譯中國文化典籍來說，易經是最難翻譯的了。他的合作者王韜後來曾稱讚他："先生獨不憚其難，注全力於十三經，貫穿考核，討流溯源，別具見解，不隨凡俗。其言經也，不主一家，不專一說，博采旁涉，務極其通，大抵取材于孔、鄭，而折衷于程、朱，于漢、宋之學兩無偏袒。"[2] 由此可見，理雅各爲達到翻譯目標的堅毅、執著和耐力。他的堅忍不拔的翻譯精神和踏實的翻譯作風以及達到的譯作成就都是值得我們欽佩和學習的。

　　總的來說，理雅各做翻譯，是站在西方英譯本讀者的立場上的，所以他在力求準確理解易經原意的前提下，按照西方人的閱讀習慣，採用句法成分的完善和添加、選擇通俗易懂的英語詞彙與短語的手法，儘量使艱澀的易經原文讓西方人讀起來易於明白。與此同時，理雅各還努力使譯文帶有"異化"的文化特色，也採用"音譯"、"直譯"和加注釋等方法，使譯文盡可能保持東方色彩。盡管理雅各的翻譯有著這樣那樣的不足和缺點，但從他盡畢生精力的中國典籍英譯的成效來看，他被稱其爲一個學貫中西的學者、他的筆路藍縷、經歷千辛萬苦完成的易經英譯被後世所銘記都是當之無愧的。

---

2 Academic Recognition in the Biographical note by Lindsay Ride in The Chinese Classics. Vol. 1. , translated by James Legge. Taipei: SMC Publishing Inc. , 2001, P.16.

二、理雅各英譯《易經》的問題探討

　　盡管理雅各的易經翻譯在西方世界發揮著巨大的影響作用，但他的譯本中的誤譯與不足也是明顯的。筆者曾就易經的英譯與世界傳播問題做過關于易經英譯中普遍存在著的文本理解差異、句法表達差異、民俗文化差異、思維方式差異、審美情趣差異等幾個方面的探討。本篇將集中在理雅各譯文中的幾個具體問題如：爻辭譯文的韻律、爻辭譯文的含義、爻辭譯文的意境等方面進行新的探討。

1.譯文應保持易經爻辭優美的韻律

　　《易經》的語言是智慧和藝術相融合的美的語言，相應的譯文應當在追求忠實于原文的前提下，力求譯語的修辭藝術美。有古人在讚美易經的語言時說"《易》文似詩"，這種評價是十分正確的。我們甚至可以說，易經卦爻辭中的詩歌是中國最古老的民歌、是中國詩歌的萌芽。易經包括爻位、爻辭和斷占之辭三部分。爻辭通常是押韻的，在不同的卦中有著不同的押韻方法。而要譯好爻辭中優美的韻詩，自然得下一番反復推敲的功夫。否則譯文就不可能真實地反映出漢語原文的精彩。讓我們看理雅各對《坤卦》中爻辭以 ang 押韻的三、四、五、六爻的譯文：《坤卦》六三，含章（zhang），可貞。或從王事，無成，有終。/六四：括囊（nang），無咎無譽。/六五：黃裳（shang），元吉。/上六：龍戰於野，其血玄黃（huang）。理雅各的譯文爲：

The third line, divided,（shows its subject）keeping his excellence under restraint, but firmly maintaining it. If he should have occasion to engage in the king's service, though he will not claim the success for himself, he will bring affairs to a good issue. The fourth line divided,（shows the symbol of）a sack tied up. There will be no ground for blame or for praise. The fifth line, divided,（shows）the yellow lower garment. There will be great good fortune. The sixth line, divided,（shows）dragons fighting in the wild. Their blood is purple and yellow.[3]

　　在漢譯英中，原文若是詩，譯文就應當也是詩。要求譯文是詩，譯者就應當按照詩歌翻譯的規則，在推敲選詞時盡可能地注意傳神、押韻和形式，即要符合詩歌翻譯的意境美、音韻美與形態美的要求。從理雅各的譯文中我們可以看出，他的英語譯文語法結構完整，他善於把漢語原文中缺失的語法成分都用加括弧的形式補充上。然而儘管語法用詞嚴謹，他的譯文卻失之於呆板冗長，不符合易經原文的生動描寫和用語簡潔含蓄的風格。在這段的翻譯中，易經爻辭中優美簡潔、朗朗上口的詩歌韻腳“含章”、“括囊”、“黃裳”、“其血玄黃”被他譯為鬆散、不押韻的“keeping his excellence under restraint”、“a sack tied up”、“the yellow lower garment.”、“Their blood is purple and yellow”。由此，他的英語譯文完全失去了漢語爻辭原文的生動與韻味。除此之外，理雅各的譯文每句開頭都為：“the first line”，

---

3 The I Ching, The Book of Changes.Translated by James Legge, Second Edition.Dover Publications, Inc. , New York, 1963, P. 60.

他的陰爻譯爲："the divided line"，陽爻爲"the undivided line"，如此千篇一律，甚爲單調，不能表現易經原文優美生動的語言。大概這也是其他英語翻譯漢語易經版本的通病，這就是爲什麼我們讀漢語的易經感到意味無窮，字字珠玉，而讀現有的英文易經譯本時，不同程度地總感覺冗長繁瑣、平淡乏味、不知所云。這種譯文狀況亟待改進提高。

由此可見，要使譯文能夠真實反映出易經原文的生動性和豐富內涵，就必須在用詞上反復推敲，力求選用能反映易經原文的韻律和意境的恰當用詞，若要使英語譯文讀起來也如漢語原文一樣朗朗上口非得下一番大功夫不可。因爲易經中詩歌的譯文自然也應當是詩化的，易經爻辭中大量的詩化語言的翻譯也要求譯文的音樂美、形式美和意境美。可見易經翻譯應當借鑒詩歌翻譯的經驗，不僅要注意字面的意思，還要挖掘其引申義，不僅要考慮中西文化的差異，還要有意識地再現民族文化的意象，還要注意對原文意象的表達再現進行適當的調整，運用各種翻譯技巧，如增添、減除、替換、補充等手法，"得意忘形"，"以意達情"，使譯文讀起來如同原文一樣流暢含蓄優美，以盡可能正確完美地表達出易經的深厚文化意象。

2.譯文應傳遞易經爻辭深刻的含義

易經卦爻辭中的用詞非常古奧，有的詞是其本義，而很多的詞具有引申義，這種情況十分複雜。若譯者不下功夫搞清卦爻詞的本義及其引申義，以及它們交替的使用等複雜情況就急於動手翻譯，往往會造成錯譯和誤譯。例如：易經的蒙（六三）卦中："勿用取女，見金夫，不有躬。無攸利。"
多種易經版本中對《蒙卦》是關於教育啓蒙的主題沒有疑義。
"取"通"娶"意也基本一致，但對"金夫"卻有幾種不同
的解釋。例如：（1）指兇暴之人。這種解釋是認爲"金"即
武也。[4]（2）指貌美的男子。[5]（3）指有錢的男人。"躬"
解釋爲："身也"。"不有躬"是指"喪失自我"。據此第
三種解釋，《蒙卦》是告誡人們不要娶唯利是圖、喪失人格的
女子爲妻。理雅各就是按這種解釋譯的英文：

"One should not marry whose emblem it should be, for
that, when she sees a man of wealth, she will not keep her
person from him, and in no wise will advantage come from her.[6]

由此，理雅各將"金夫"譯爲"man of wealth"（有錢人），
整個的爻辭譯文思路就與其他的理解不一樣了。

再如：《乾卦》九三的爻辭劉大鈞先生斷句解釋爲："君
子終日乾乾，夕惕若厲，無咎。"並認爲"乾乾"解釋爲"勤
勉努力"較確，"惕"字有"敬懼之意"。[7]而南懷瑾先生斷
句解釋爲："君子終日乾乾，夕惕若，厲無咎。"[8]依據不同
的斷句，譯文自然也有區別。理雅各的翻譯大概依據後一種
斷句而來爲：In the third line，undivided,（we see its subject as）
the superior man active and vigilant all the day, and in the
evening still careful and apprehensive.（The position is）

4　張立斌：《易經邏輯論解》，新疆大學出版社，2001年版，頁42。
5　楊端志：《漢語史論集》，齊魯書社，2008年版，頁65。
6　同上，P.65.
7　劉大鈞《周易概論》齊魯書社，1988年6月版，頁230。
8　南懷瑾，《南懷瑾選輯》第3卷，復旦大學出版社，1996年版，頁132。

dangerous, but there will be no mistake.[9]

　　對比分析爻辭原文和英譯，不難看出他的英譯把漢語原文精煉的十二個字譯得較呆板冗長，且多處用詞的準確度也值得再推敲。例如：爻辭裡的"君子"被他譯爲"the superior man"。"superior"在英語中具有"上級"、"長輩"、"高人一等"等含義。而漢語中的"君子"具有道德、節操、榮譽的含義。故可再推敲譯爲"man of honour"或"gentleman"等或更爲妥當。"惕"的"敬懼之意"被他譯爲"careful and apprehensive"也值得商榷。

3.譯文應再現易經爻辭生動的意境

　　"意象"是中國傳統思維與美學的一個重要特點，也是易經的基本特點之一。例如屯卦的六二爻辭中："屯如邅如，乘馬班如，匪寇，婚媾，女子貞不字，十年乃字"句。這句的內容涉及到原始社會先民的社會與生活層面。這一爻辭栩栩如生，生動地再現了遠古先民的社會婚俗，反映的是中國遠古社會搶婚制度：一隊人馬"像屯積在那裡似的"、"像有一條很綿長的道路要我們去走似的"，又"像站班似的"，不是搶劫的，而是來搶婚的。而被搶的女人本性堅貞，十年以後才懷孕。[10]原文用詞簡潔含蓄，生動地表現出一女子被搶婚時的大哭大喊的情景，而且以象喻意，除了上述的字面意思外，這一卦的隱喻及其教育啓迪作用的哲理在於：

---

9 The I Ching, The Book of Changes.Translated by James Legge, Second Edition. Dover Publications, Inc. , New York, 1963, P.57.
10 南懷瑾，《南懷瑾選輯》第 3 卷，復旦大學出版社，1996 年版，頁 193。

人生的道路就是"屯如邅如"，每個人的生命歷程都是處境艱難，前路茫茫，不知所以。"乘馬班如"得意之時風雲際會，然而，"匪寇，婚媾"，到處都會上當、受騙、結合，所以做人要像女子守貞潔一樣，自己要站得正，學會等待。所以孔子說："象曰：六二之難，乘剛也。"這就是說要至剛、至中、至正。[11]由此理解屯卦的六二爻辭才能算是切中此卦的要義。現在再來看看理雅各對這句的翻譯：

The second line, divided, shows（its subject）distressed and obliged to turn:（even）the horses of her chariot（also）seem to be retreating.（But）not by a spoiler（is she assailed），but by one who seeks her to be his wife. The young lady maintains her firm correctness, and declines a union. After ten years she will be united, and have children.[12]

理雅各的英譯句式整齊，但失去了原卦爻辭所描述的生動的搶婚場面的精彩熱烈氣氛的感染力，而且讀起來令人不知所云。特別是當這樣的譯文晦澀時，也沒有隨之加注釋以對中國遠古的搶婚制度加以介紹，這就更加劇了譯文的費解和乏味。

由此可見，易經的卦象語不僅表達簡潔古奧，具有韻律美，生動鮮活，它還充滿豐富的聯想和暗喻，它是中華民族傳統文化的集中表現。而英語無論在風格、還是在詞彙的內涵等方面，都與漢語有很大的差異。譯者常因對漢語詞彙中

---

11 同上。

12 The I Ching, The Book of Changes.Translated by James Legge, Second Edition. Dover Publications, Inc. , New York, 1963, P.62.

蘊含的特有中國傳統文化理解的偏差而使譯文流於膚淺和蒼白，不能將漢語原文中的深層含義準確生動地翻譯再現。

三、對易經翻譯的幾點思考

在新世紀，隨著中國國力的增強，中國傳統文化在世界的影響力正在日益加強。儘管目前易經的外語翻譯已經有了多種語言的譯本，但可以說比較令人滿意的易經譯本至今仍不曾出現。甚至有海外學者說，到目前為止世界上還沒有一本完全合格的易經翻譯。如有學者說："讀已出版的《周易》英譯本，只是浪費時間而已。從我的標準來看，這些譯本是不及格的。"[13]這種批評似乎有些偏激，但也不是沒有一點道理。因為要想翻譯好易經這部博大精深、集中華民族傳統精神與智慧的典籍，沒有紮實的漢語言文化功底和高超的英語水準是不行的。然而，相信在新世紀，在中國繼歷史上的佛經翻譯、科技翻譯、啟蒙翻譯[14]之後的第四次翻譯浪潮中，一定會有更好地易經英譯本問世。筆者認為在易經翻譯中，應特別注意以下幾個方面：

---

13 據互聯網百度網文報導，美國太平洋大學趙自強教授如是說。

14 我國歷史上第一次重要的翻譯時期是從漢末開始到宋初歷時一千多年，到唐代發展到鼎盛的佛經翻譯。第二次翻譯熱潮是發生在明末清初的西方先進科技知識的翻譯。第三次重要翻譯時期發生在 19 世紀末 20 世紀初。不甘於受西方列強欺辱的中國有識之士面對民族危亡自強革新，翻譯西方各種典籍以救亡啟蒙。自 21 世紀新開端以來，中國的對外翻譯傳播正在出現一個新的高潮，即翻譯的第四次重要歷史發展時期已經到來。

1.把握卦爻辭的正確斷句

　　到目前爲止，國內外學者對於易經卦爻辭所含的深層隱喻研易者們可以說是見仁見智，各不相同。然而，"對《周易》古經的解讀雖然汗牛充棟，但沒有一家令人滿意"[15]博大精深的《易經》包涵著文理多學科的研究價值，例如文史哲、美學、文字學、音韻學等各個方面。這就使得易經的解讀斷句和相應的英譯變得非常的不易。易經現有讀本中有的斷句合理，分析引經據典，有理有據。然而有的斷句及其分析則帶有明顯的主觀性。若選擇了這些個人見解過於隨意發揮的易經斷句讀本，就會使譯者思維混亂不知所措，以至於感覺紛繁雜亂，無所適從。可見翻譯者首先要慎重選擇正確斷句的易經讀本至關重要。要想準確地翻譯古文，首先要正確地斷句。然而易經原典成書年代久遠、言辭古奧且沒有標點符號。長期以來，歷代研易者就有著五花八門的各種不同的斷句與注釋，這給易經卦爻辭的句讀帶來了混亂的局面，導致對易經卦爻辭理解的千差萬別。而句讀的歧義必然導致誤解，進而造成誤譯。例如本文所舉幹卦九三的爻辭斷句的不同。斷句不同，對爻辭中的隱語的理解就不同，繼而對在翻譯中可能出現的言外之意的領悟也不同。由此可見，易經文本的考辯斷句是易經翻譯的重要環節和重點難點，不同的句讀會使譯者對同一卦爻辭產生不同的解讀。在當前的易經卦爻辭存在多種不同的理解和斷句版本情況下，相應的翻譯

15　李尚信：《卦序與解卦理路》，巴蜀書社，2008 年版，頁 164。

出現各種不同的理解和千差萬別的誤譯也就不足爲奇了。所以說，英譯易經必須首先對卦爻辭進行詳盡的字詞考辯和句法解析，做出合乎情理的符合易經卦爻辭義理的解讀，力求根據易經的整體精神和每一卦的中心思想，透徹理解原文的層次與結構，給出正確的斷句，而後動手翻譯。由此，易學研究界推出公認的權威的當代《周易》解讀本勢在必行。

2.瞭解卦爻辭的文化意象及其含義

翻譯易經首先應當忠實于原文，而要做到忠實于原文就必須瞭解易經卦爻辭的文化意境與深刻內涵。否則就談不到在此基礎上進一步追求譯語的傳神與修辭美。自古智慧的中國先民就善於"觀物取象"，易經中用來象徵義理的"象"種類繁多，層出不窮，例如山水、動物、植物、人與事物等都可以是象。正爲："聖人有以見天下之賾，而擬諸其形容，象其物宜，是故謂之象"[16]易經卦爻辭的抽象道理，都是蘊含在對具體事物的表述中的。但是易經的古奧複雜在於"表面的取象並非本意，深層的隱喻才是本意。表層義的雜亂並不代表深層義的雜亂。"[17]由此，好的譯者首先應該透過紛繁雜亂感悟並使譯入語讀者由具體的象的翻譯與解讀獲得抽象的事理的聯想與感悟。從現有的易經英譯本來看，譯入語讀者怎麼讀也很難讀出原漢字易經卦爻辭所蘊含的中華民族的歷史文化與社會的深層含義。可見要譯好易經這部博大精深的中華典籍，非下大力氣不可。易經的譯者不僅要弄清楚

---

16 劉大鈞《周易傳文白話解》齊魯書社，1993 年版，頁 105。
17 李尚信：《卦序與解卦理路》，巴蜀書社，2008 年版，頁 162。

卦爻辭的本意，還應博覽群書，引用多種相關資料、包括社
會學的和自然科學的，還有必要為易經卦爻辭的翻譯文字加
上文化背景的注釋，由此盡可能地使譯入語讀者洞察易經原
文的深層玄妙本義和內涵，而這樣的譯本至今仍為出現。

　　例如：《乾》卦，上九："亢龍有悔"的不同理解與英語
翻譯。首先把"龍"譯為西方人視為邪惡象徵的"dragon"
就不妥。再次，"亢龍"一詞就有多種不同的解釋，例如：
有人解為"池中之龍"，還有人將"亢"字解為"抗"、
"伉"等，但根據易經爻辭慣例來看，"亢"字為"窮高"、
"極高"。[18]"悔"字在《易經》中多次出現，它的含義也
有不同的解釋。如根據《周易正義》解為：悔者，其事已過，
有所追悔之也。[19]但也有把"悔"字解為"晦氣"的
"晦"，說是當事情做絕了到頂了，就會有痛苦和煩惱[20]。
可見易學專家們也是眾說紛紜。這個卦爻辭被理雅各譯為：

　　"In the sixth（or topmost）line，undivided，（we see its
subject as）the dragon exceeding the proper limits. There will be
occasion for repentance." [21]

　　在理雅各的翻譯中，他譯"龍"用了"dragon"，用
"repentance"來對應中文的"悔"字。在英語中，
"repentance"這個詞帶有宗教的懺悔意識，即對錯誤的行為
表示的懊悔、內疚與自責的情感。這對於易經中的"悔"，

18　劉大鈞《周易概論》齊魯書社，1988 年 6 月版，頁 231。
19　《周易正義》，中華書局，1980 年版。
20　南懷瑾，《南懷瑾選輯》第 3 卷，復旦大學出版社，1996 年版，頁 134。
21　The I Ching, The Book of Changes. Translated by James Legge, Second
　　Edition. Dover Publications, Inc. , New York, 1963, P.58.

不管是表達 "後悔" 的意思，還是表達 "晦氣" 的意思，都與英語的 "repentance" 所表達的宗教的 "懺悔" 文化內涵是不同的。理雅各的這類英譯詳究起來還很多，需要在中西文化差異大背景下進行辨別與糾正。

3.提高漢英雙語理解與表達的技巧水準

易經博大精深，涵蓋文理各個層面。要翻譯易經，很多時候就不能按字面意思想當然地草率動手譯，而是要探究易經卦爻辭的字面意思以外的深層含義，研究推敲用恰當的英語表達的技巧。例如：幹卦九三： "君子終日幹幹，夕惕若厲，無咎。" 在這句的翻譯中，目前所見的幾個譯本如下：

（1）理雅各譯：（we see its subject as）the superior man active and vigilant all the day, and in the evening still careful and apprehensive.（The position is）dangerous, but there will be no mistake.[22]

（2）貝恩斯根據衛禮賢德文轉譯：All day long the superior man is creatively active. At night his mind is still beset with cares. danger. No blame.[23]

（3）KIim Farnell 譯：All day you are busy and all night your mind is in turmoil. Your creative energy is on the increase. There is much to be done. So when others rest, you worry. It is time to turn your back on the past, even though what you did in

---

22 The I Ching, The Book of Changes. Translated by James Legge, Second Edition. Dover Publications, Inc. , New York, 1963, P.57.

23 Cary F. Baynes, The I Ching Or Book Of Changes, Princeton: Princeton University Press, 1977.8, P.8.

the past was right. Your influence is growing.[24]

（4）羅志野譯：A gentleman keeps his active and strong spirit all day long in the period of development; in the evening he is still vigilant as he is in the daytime. There will be no danger and mistake if he has such virtues of strictness and cautiousness.[25]

（5）汪榕培、任秀華譯：The gentleman strives hard all day long. He is vigilant even at nighttime. By so doing, he will be safe in times of danger.[26]

　　分析以上中外人士在不同歷史時期的對幹卦九三爻辭的譯文，我們可以看到：兩位西方譯者理雅各和衛禮賢都將"君子"譯為"the superior man"，另一位西方人士 KIim Farnell 則直接譯為第二人稱"you"。而兩位中國譯者都將"君子"譯為"gentleman"。可見中西方人對同一個詞的不同理解。這裡中國人的理解和翻譯應該是更為準確的。西方人士對"夕惕若厲"的翻譯選詞為："careful and apprehensive"，（小心的，憂慮的），"is beset with cares"（被憂慮困擾的），甚至於"in turmoil"（處於混亂狀況），可見其對此爻詞理解不同程度的偏差。兩位中國譯者都用了"vigilant"（警醒的）更為恰當。但在本爻辭的深層含義的翻譯與表達上都有值得進一步商榷和優化以反映出原文的精彩與內涵的空間和餘地。

---

24 Kim Farnell, Simply I Ching, New York: Sterling Publishing Co. Inc, 2008.
25 羅志野《易經新譯》，青島：青島出版社，1995 年。
26 汪榕培、任秀樺《英譯易經》，上海：上海外語教育出版社，2007 年。

　　通過上述對易經英譯的分析研究我們看到：優秀的易經翻譯不僅需要良好的英語訓練，還必須具備古文知識和國學功底。易經的英語翻譯想做到完美極致是很難的，現有的易經譯文都存在進一步精化提高的可能性。理雅各作為十九世紀末易經的英譯開拓者，他付出的巨大勞動和取得的矚目成就是令人景仰的。他一生皓首窮經，鍥而不捨地為中國文化的世界傳播傳做出的巨大貢獻是不可抹殺的。我們今天回顧他、研究他的譯文，對於易經英譯事業將提供寶貴的經驗教訓與借鑒。從目前世界東西方跨文化傳播的角度來看易經的翻譯，一個合格的易經譯者必須同時是易經的研究者和學者。要譯出合格的易經英文讀本，首先應當對於易經原文（sourse language）有透徹的理解，以及對中國歷史文化和社會的深刻感悟。以此同時，還要有熟練的英語（target language）的高超表達能力。可見要譯好易經以擔當起中國文化的傳播者的使命，譯者就既要精通中英兩種語言，還要深入理解中西社會和文化的不同。為此，我們認真研究分析理雅各至今仍被西方世界尊為"標準譯本"的易經翻譯，揚長避短，總結經驗，對於易經這部厚重的中國典籍的更為準確地道的英譯是有積極的現實意義的。同時，研究理雅各對中國群經之首《易經》的翻譯傳播，無疑對魯迅詩歌的翻譯傳播具有重要的啟迪作用。

第二節　衛禮賢中國典籍翻譯
傳播的借鑒與思考

　　在近代中西文化交流的歷史中，長期以來都是西方文化占主導地位。但是從近代西方傳教士來華開始，這種局面逐步有了改變，他們中不少人爲了傳教的目的開始研究中國的文化，客觀上擔負起了中西文化交流與溝通的橋樑作用，其中最爲突出的代表當爲德國傳教士衛禮賢，正是由於他的開拓性的努力，東學西傳拉開了序幕。衛禮賢與其他傳教士的不同之處在於，他的譯介中國典籍是出於對中國文化的熱愛，而不是爲了傳教的目的。他被博大精深的中國文化所吸引，在中國居住長達 25 年，這是他一生中最美好的青春年華。從這個時期開始直到他的生命終結，他都是如醉如癡地研究和譯介中國傳統文化經典，並取得了世界矚目的成就和歷史貢獻，被稱之爲 "偉大的德意志中國人"[27]。但遺憾的是，這位近代史中對中學西漸做出傑出貢獻的漢學家的研究只是在近幾年才開始受到關注，且研究深度和廣度都有待加強。本節對衛禮賢的傳教士、翻譯家、漢學家的三重身份及其成就分別論述，按照衛禮賢傳教士、翻譯家、漢學家的三個歷史發展時期，對衛禮賢的來華傳教、中國典籍翻譯和漢

---

27 楊武能. 衛禮賢 —— 偉大的德意志中國人[J].德國研究，2005，（3）．

學研究進行分析思考，旨在汲取有益的歷史經驗教訓，爲我
們在新世紀的中華典籍翻譯傳播和文化、爲魯迅詩歌翻譯傳
播研究提供必要的借鑒，積累寶貴的經驗。

一、傳教士衛禮賢

　　衛禮賢，原名爲理查·韋爾海姆（Richard Wilhelm, 1873-
1930），他的中文名衛禮賢是到中國後起的，他的漢語名字飽
含著他對中國傳統文化的熱愛。衛禮賢出生在德國斯圖加特
一個畫工藝師家庭，9 歲喪父，貧寒的家境使他從小就倍嘗
生活的艱辛，由此也培養起了吃苦耐勞的堅強性格。1891 年
18 歲的衛禮賢入德國圖賓根神學院學習，畢業後的 1895 年
通過神學職業考試當了牧師。1897 年德國佔領中國膠州灣，
1898 年德國以武力威脅，迫使中國清政府與其簽訂不平等的
《膠澳租借條約》，由此，中國青島淪爲德國的殖民地。1899
年 1 月，衛禮賢應德國同善會的招募來中國青島傳教，給已
經在華傳教的傳教士花之安當助手。此時正值義和團運動席
捲中華大地，西方列強和日本準備侵華的前夕，這是中國近
代史中一個內憂外患的時期。當時很多西方傳教士來中國傳
經佈道，實際上是要使中國人皈依其宗教信仰以利其長期統
治。起初衛禮賢與其他傳教士一樣是懷有狂妄自大的"歐洲
文化優越"的心理，來華目的是爲了教化中國百姓皈依其宗
教。衛禮賢和他們一樣，也是出於更便利地傳教而開始研究
中國語言文化的。他來華"在頭幾個月寄給德國親屬的信

中,反映了他對新環境幼稚的、歐洲中心主義的認識。"[28]此時的衛禮賢刻苦學習漢語文化,逐漸地他被中國傳統文化的內涵與智慧所吸引,為中國悠久歷史文化的博大精深所震動,並意識到孔子為"東方聖人",隨之他對中國人的認識也發生了變化,認識到中國人是不需要他來教化的,因為"中國人乃是世界上最友善、最誠實、最可愛的人民"[29]由此,衛禮賢傳教的工作就成了形式,他真正投入精力和實踐的是在中國創辦學校和醫院。在他做傳教士的第二年1900年,他就創辦了一所禮賢書院,他的辦學宗旨為"有教無類,一視同仁,中學為體,西學為用",他還規定"凡入校習德文的少年,必須精通中文"。由此,他辦的學校深受當地民眾歡迎,辦學規模不斷擴大。1906年禮賢書院第一屆畢業的學生參加山東省會濟南的會考,取得優異成績獲"優貢"稱號。由於衛禮賢辦學有功,榮獲清廷"四品頂戴"的嘉獎,此後的第二年他又建起了一所花之安醫院。

　　1911年辛亥革命爆發清朝專制王朝垮臺。此時青島成了滿清官員的臨時避難所,大批前清的遺老遺少逃往這裡,這些人中不乏滿腹經綸的儒生。熱愛中國文化的衛禮賢視他們為中國傳統文化的財富,熱心款待將其奉為座上賓。他抓住機會充分利用這些寶貴的人力資源,於1914年在書院內建立起"尊孔文社",既為這些人了提供文化交流的場所,也為

28　孫立新,蔣銳主編.東西方之間 —— 中外學者論衛禮賢[M]. 濟南:山東大學出版社,2004年版,頁36。

29　Riehard Wilhelm: Die Seele Chinas.轉引白楊武能:衛禮賢 —— 偉人的德意志中國人,[J].德國研究,2005,(3).

他自己爭取了難得的學習中國文化的機會。特別是精通國學、德高望重的勞乃宣被推出擔任“尊孔文社”的主持，這對他後來翻譯中國典籍時勞乃宣的鼎力相助奠定了基礎。1921 年日軍佔領青島，衛禮賢不得不離開生活了 22 年的青島回到德國。[30]這是他的第一次來華，並從此時起與中國結下了不解之緣。回國後衛禮賢並未中斷漢學研究和對中國文化的翻譯傳播。他不斷地在德國各地演講，還發表了不少譯介中國的論著如《孔子與孔教》、《中國文明簡史》等，他的典籍翻譯有《論語》、《孟子》、《禮記》、《易經》、《道德經》等，由此被稱之爲“中國化的德國人”。1922 年衛禮賢又作爲德國駐華公使館科學參贊第二次來到了中，次年被北京大學聘爲德語教授。由於他在中西文化交流方面的不懈努力和突出貢獻，1924 年德國法蘭克福大學授予衛禮賢名譽哲學博士學位並聘請他爲漢學教授和系主任。本年底衛禮賢離開中國赴任，由此結束了他由一個西方傳教士起步轉變爲自覺地傳播中國文化的漢學家的長達 25 年中國經歷。衛禮賢返回德國後的幾年裡，仍是念念不忘他的中國事業，他於 1925 年 11 月創辦並主持了法蘭克福的“中國學院”（China-Institute），還創辦了一份《中國學報》，除此之外，他還繼續廢寢忘食地工作以完成計畫中的漢學著譯，最終由於積勞成疾，於 1930 年 3 月 1 日在年僅 57 歲時就與世長辭，由此走完了由一個虔

30　1921 年 5 月 20 日中國北洋政府和德國政府在北京簽訂了《中德協約》，德國聲明放棄其在山東的各項權利。從此，青島不再是德國的租借地。但實際上自 1914 年日軍佔領青島德國的膠澳租借地之說已開始逐步走向名存實亡。

誠的德國傳教士變爲成功的漢學家的不平凡的一生。

二、翻譯家衛禮賢

衛禮賢初來華時不識中文，但很快他就聘請中國人當老師學習漢語。他開始學習的課本是中國傳統的三字經類的啓蒙讀物和四書五經，但這正是中國傳統文化的精華。衛禮賢的漢語學習越深入，就越感受到中國文化的魅力，並越爲西方人對其的誤解而感到遺憾。由此，他認爲他有責任向西方介紹中國的優秀傳統文化，改變他們對中國人的偏見和誤解。正是這種使命感促使他主動放棄了來華傳教的工作而擔負起向西方翻譯介紹傳播中國文化的重任。

1.衛禮賢的翻譯目的和計畫

在衛禮賢生活的時代，西方人對中國文化存有很大的誤解，甚至有很深的敵對情緒。在這種歷史文化背景下，衛禮賢選擇放棄傳教而學習傳播中國文化是特立獨行難能可貴的。衛禮賢以德國人特有的有條不紊來翻譯和介紹中國典籍，他工作的每一步都有著具體的目標和系統的安排和計畫。在衛禮賢翻譯的初期，他把翻譯的過程看成是對中國傳統文化學習和研究的過程，隨著他的翻譯的數量增大，他對中國優秀傳統文化的認識也不斷加深。在他翻譯的後期，他的視野更爲開闊、思想更爲深刻，特別是在世界潮流與新思想的碰撞下，衛禮賢對中國傳統文化的態度也由迷戀和崇拜轉爲深層次的冷靜思考和研究。他的翻譯後期以更爲客觀的態度來分析甄別文化現象，有針對性地選擇中國傳統文化典籍研究與翻譯，作爲尋求醫治西方社會痼疾的借鑒和參照。從那時起他的中國典籍翻譯的主要任務逐步轉爲對中國典籍和文化研究的主要任務。第一次世界大戰後，衛禮賢更是有針對性地選擇適合於德國現狀的中國傳統文化典籍來研究與譯介，衛禮賢的譯介和研究極大地促進了德國人對中國的關注和興趣，改變了德國人對中國一無所知的現狀。是他的翻譯喚起了德國民眾對中國文化的重視和理解，開始有了對中國文化關心和瞭解的願望和興趣，並由此被引導去領略神秘的東方文化這一巨大的精神財富，這對促進東西方的文化交流，讓西方世界更好的瞭解中國的優秀傳統文化奠定了基礎。

2.衛禮賢的翻譯方法和成就

　　衛禮賢的翻譯自然是選擇由簡到難的版本，他最初學習並翻譯的簡單的《三字經》發表於 1902 年在上海出版的德文雜誌《遠東》上。到了 1910 年他就能在德國出版有相當難度的《論語》德譯本了。從一開始翻譯，衛禮賢就以德國人特有的嚴謹來對待每一部譯著，力求忠實于原文，力求再現原文的語境和思想精神。隨著翻譯版本難度的增大，他的翻譯技巧和水準也在隨之提高。隨著翻譯的增進，他的譯本行文越來越流暢，技巧越來越嫻熟。他的譯本遣詞用語都盡可能用使普通德國讀者都能夠理解的詞彙，因而他的譯本有廣大的讀者群。衛禮賢的翻譯一般採用兩種方式，即先盡可能地按原文字面意思來直譯，此後再按照德語的習慣表達法進行意譯的潤與修改。他這樣做是爲了讓德國人能夠輕鬆愉快地閱讀並自然地汲取和欣賞到中國傳統文化的智慧與精彩。特別值得一提的是他的《論語》德文版翻譯，它一經出版立即引起了德國人的關注。他的翻譯還引起了出版商的興趣，此後他的譯著出版就走上了順利的軌道。例如，德語文學界著名的迪德里希斯（Diederichs）出版社與他建立了長期合作的聯繫，這對衛禮賢的中國典籍翻譯的繼續奠定了良好的基礎。此後，這家出版社相繼出版了衛禮賢翻譯的德文版《老子》、《列子》、《莊子》、《孟子》和《中國的民間童話》等。人們發現他的這些翻譯作品在與其他人的翻譯作品的比較中更勝一籌，由此衛禮賢成為西方世界一位知名的翻譯家。

　　衛禮賢翻譯最高水準的代表作是他於 1924 年出版的《易經》德譯本。易經難懂難譯，對一個外國人就更是如此。但《易經》是中國的群經之首，是中華民族智慧與文化的源泉。由此，衛禮賢知難而進立志鑽研並翻譯易經這本最難的中國典籍，他花費十年功夫筆路藍縷終於完成了這部最難譯的中國典籍。

　　衛禮賢的成功翻譯《易經》使他成為德國翻譯界的名人，但我們不應忘記幫助衛禮賢成就翻譯的中國人勞乃宣（1843-1921）。勞乃宣祖籍山東陽信。[31]他在中國古文字和音韻學等諸多傳統文化領域造詣深厚。衛禮賢拜勞乃宣為師刻苦學習博大精深的中國文化，並在他的幫助指導下翻譯中國典籍。勞乃宣對這位洋弟子的學習熱情很是贊許，不僅耐心講解還親自帶他去曲阜拜謁孔廟，並組織募集和購買各類經

---

31 李福友，宋樹岐編. 濱州名人[M].北京：中國文史出版社，2003，頁 45。

典古籍，建起藏書 3 萬多冊的藏書樓。他在《尊孔文社藏書樓記》中寫道："德國衛禮賢以西人而讀我聖人之書，明我聖人之道者也。時居青島，聞而憂之，與中國寓島諸同人結尊孔文社，以講求聖人之道，議建藏書樓以藏經籍，同人樂贊其成。"[32]由此可見勞乃宣對衛禮賢的中國文化探究與傳播精神的贊同與支持。衛禮賢和勞乃宣一起研讀和翻譯《易經》的情況他在《中國心靈》一書中做了描述："他用漢語解釋經文，我做筆記。之後我將經文自己譯成德語。在此基礎之上，我不看原書再將我譯成德文的經文回譯成漢語，由他來進行比較，我是否在所有細節方面都注意到了。之後再對德文本的文體進行潤色，並討論細節文體。最後，我再對譯文進行三到四次的修改，並加上最重要的注疏。就這樣，這個譯本不斷完善。"[33]

衛禮賢翻譯出版之前的漢學傳播狀況正如衛禮賢的中國朋友周馥所說："實際上絕大部分西方人只瞭解中國文化的表層，他們從未接觸過真正的中國學者。……可以說歐洲人關於中國的知識只是一堆垃圾。"[34]這種情況由於衛禮賢的翻譯而改變，由於他的翻譯，中國文化的價值在世界上受到各方面的關注和重視。與此同時，衛禮賢不僅在德國、而且在整個西方世界都聲名大振，成為公認的大翻譯家。

---

32 勞乃宣. 尊孔文社藏書樓記，轉引自青島日報《尊孔文社藏書樓》[N]，2008 年 7 月 20 日。

33 Riehard Wilhelm: Die Seele Chinas. 轉引自：李雪濤《《易經》德譯過程與佛典漢譯的譯場制度[J] 讀書，2010 年 12 期，頁 54。

34 孫立新、蔣銳主編 東西方之間 —— 中外學者論衛禮賢，[M]濟南：山東大學出版社，2004 年版，頁 80。

　　衛禮賢的友善和虛心好學使他擁有很多中國朋友，在他
們的幫助下衛禮賢翻譯中國傳統文化經典著作成效顯著，不
僅數量大而且品質好。據統計，他翻譯成德文的中國經典約
有十多種，它們是：《易經》、《論語》、《中庸》、《大學》、《禮
記》、《道德經》、《孟子》、《莊子》、《墨子》、《列子》、《呂氏
春秋》等。他的這些譯著頗得好評，至今仍在再版發行。除
此之外，他還翻譯了中國的古典文學作品，例如：《西遊記》、
《封神演義》、《聊齋》、《三國演義》、《三言兩拍》、《搜神記》
等。正是在衛禮賢的中國文化典籍翻譯的影響下，德國人對
中國的興趣越來越大，西方人長期以來對中國人的偏見和誤
解得到逐步的扭轉和消除，由此，西方世界掀起了學習和研
究中國傳統文化的熱潮，並寄希望於從中國傳統文化中找到
能夠拯救世界衰亡的靈丹妙藥。

3.衛禮賢翻譯的啓示

　　衛禮賢翻譯的中國典籍對西方思想界與文化界都產生了
廣泛的影響。他的翻譯中成就最爲顯赫的是他花費了十年心
血完成的《易經》德文譯本（I Ging. Das Buch der Wandlungen.
Aus dem Chinesischen verdeutscht und erl utert von Richard
Wilhelm. Jena: Diederichs 1924），正是他對這部中國群經之首
的翻譯確定了他在西方學術界的地位。他的《易經》德譯本
不僅在德國一版再版，還被轉譯爲英文在英美世界廣爲傳
播，並在與被稱作易經英譯權威的英國人理雅各的翻譯版本
的比較中更勝一籌而聲名大振。他的易經德譯及其英文轉譯
對德國及其其他西方國家的漢學、心理學、文學等多個領域

都產生了深遠的影響。衛禮賢的漢學典籍翻譯與傳播的成功給我們多方面的啟示和教益，例如：

（1）"拿來"與"送出"

在對外翻譯引進的問題上，我們一貫主張並奉行魯迅的"拿來主義"，即堅持我們自己挑選"拿來"適合我們自己的東西，而不是等著外國人"送來"。這樣做是因為中國人有著沉重的歷史教訓，自己挑選拿來的東西是好的、有價值的，而外人強行送來的東西就有很多不好的甚至是有害的東西。例如歷史上西方列強曾強行送給我們鴉片、改革開放後的國際貿易中外國人曾強行"送來"無處傾倒、無法處理的污染物"洋垃圾"等等。歷史教訓告訴我們必須自己挑選"拿來"而不是盲目接受別人"送來"的。

從我們自己的"拿來"經驗出發，對照當前國內重視中國文學走向世界以來，就急於把自己認為好的"送去"的做法就值得做換位思考。對西方國家來說，他們也喜歡自己挑選"拿來"，而不是接受我們自己硬"送去"的東西。當年德國人衛禮賢就是他自己選擇翻譯中國經典，而不是中國人向他強行　"送去"的。可見越是讓人家自己挑選和拿來，人家就越是珍惜越是喜歡"拿來"。所以，在對外文化交流問題上，中外雙方都應當奉行"拿來主義"，"己所不欲勿施於人"，不要過急於自己"送去"。

（2）創新翻譯方法"回譯"

衛禮賢德譯《易經》的經驗提供了一種創新"回譯"方法。即他的將《易經》翻譯成德文後再口譯返回成漢語，讓勞乃宣來聽來判斷他的譯文是否符合原文意思。這就是他在

《易經》德譯本第一版的序言中所說的翻譯方法：在對經文經過詳細的討論之後才譯出了譯文。之後再從中文回譯成德文，只有當文本的意義完全被表達出來之後，這一譯文才被認爲是有價值的。[35]這種翻譯方法通常不被列爲常見的翻譯方法之列，但它卻是一種行之有效的翻譯實踐方法值得重視，特別是在翻譯一些文化典籍作品時，有必要與專家內行反復商討以確保譯文忠實于原文時就可用這種"回譯"法。

（3）中國文學的翻譯傳播影響

衛禮賢的中國典籍翻譯也包括一些中國文學作品的翻譯，他的這些文學作品的翻譯明顯地影響了當時的歐洲作家的文學創作。例如衛禮賢編譯的《中國民間故事集》裡有《聊齋志異》中的多個故事，其中的動物故事如《小獵犬》、《青蛙神》等就對奧地利著名小說家弗蘭茨·卡夫卡（Franz Kafka 1883-1924）產生了影響。如他的短篇小說《地洞》就是在讀過衛禮賢的中國文學翻譯後創作的，他的小動物的弱者心理和形象地表現社會底層人物的精神與生存狀態的描寫手法明顯受到中國文學翻譯的影響。除此之外，衛禮賢的翻譯作品還對其他的西方作家如瑞士作家馬克斯·弗裡施（Max Frisch 1911-1991）、赫爾曼·黑塞（Hermann Hesse 1877-1962）、布萊希特（Brecht 1899-1956）等產生過程度不同的影響。這些影響有待進一步深入研究。

衛禮賢的中國典籍翻譯在德國及西方世界產生了巨大影

---

35 Richard Wilhelm. I Ging. Das Buch der Wandlungen. Aus dem Chinesischen übertragen und herausgegeben von Diederichs. 2004. P.5，轉引自李雪濤《易經》德譯過程與佛典漢譯的譯場制度[J]讀書，2010 年 12 期，頁 56。

響，受到德國讀者的歡迎，引起漢學界的關注，但也遭到一些德國的漢學家的非議。他們或批評或拒絕承認衛禮賢的漢學著作，例如他們批評衛禮賢依靠中國人的幫助來翻譯在漢學上不能獨立存在等等。但衛禮賢的中國典籍的翻譯功績是不容抹殺的。正如有學者的評價：衛禮賢的漢學研究與著作翻譯作品幾乎是當時歐洲青年人乃至成年人汲取精神營養的唯一源泉，這樣，他們不僅從中增長了見識，而且對於許多人來說，同東方的接觸無論如何都意味著其精神經歷鏈條中一個必不可少的環節。[36]

三、漢學家衛禮賢

漢學（Sinology）一般是指外國學者對中國語言、文化、文學等方面的研究。他們的研究反映了外國人以他們自己的文化為參照物的視覺下對中國文化的理解與認識。漢學是外國人與中國文化對話與交流的橋樑，而研究中國文化的外國學者被稱之為"漢學家"。衛禮賢就是一位由傳教士到翻譯家再到成功的漢學家的德國人。衛禮賢在翻譯的後期逐步地將工作重點從譯書轉變為深入的漢學研究，並將其延續到他生命的終點。這個時期他出版了一系列的漢學著作，例如：他出版了《中國人的生活智慧》（1922）、《老子與道家學說》（1925）、《中國心靈》（1926）、《中國文化史》（1928）、《中國哲學》（1929）、《中國人的經濟心理》（1930）等一系列的

---

36 孫立新、蔣銳主編。東西方之間 —— 中外學者論衛禮賢，[M]濟南：山東大學出版社，2004 年版，頁 14。

漢學研究著作。除了專門的論著，他還在各種雜誌報刊上發表相關的中國問題研究文章多達上百篇，例如《現代中國的精神生活》（1924），《東方與西方》（1925），《歌德與中國文化》、（1926），《中國文化的基礎》（1928），《中國的宗教與世界觀》（1929）等等。除了著書立說，他還在各地進行學術報告、舉辦中國文化的展覽，為中國文化在西方的傳播做了大量工作並取得了顯而易見的成果。

在衛禮賢的漢學翻譯研究生涯中，他向西方世界介紹了大量中國古典著作，為西方人打開瞭解中國文化寶庫的大門。他的研究成果不僅數量大，見解也相對獨特與客觀。它作為漢學家的成就可以從這幾個方面進行歸納：

1.高度認同中國文化價值

衛禮賢來中國的時代正值西方人對中國存在嚴重偏見之時，衛禮賢的難能可貴在於他並不隨波逐流隨聲附和其他傳教士對中國的看法，而是獨立觀察、思考發現中國文化的獨特魅力與價值。他在《哥德與中國文化》一文中指出：就歌德瞭解的中國文化和文學來說，中國規模巨集壯的世界他還沒有認識到。他當時發表的所謂有關中國學術的東西，實際上大半都是與中國學術無關緊要的部分。他認為連歌德這樣的西方學者對中國的瞭解也是如此淺薄，一般的西方普通民眾對中國的瞭解就可想而知了。為改變現狀，衛禮賢拜儒學功底深厚的勞乃宣為師，追根朔源地探究中國文化的真諦並為之陶醉，用他的一生進行漢學研究並將其研究成果向世界廣為傳播。

　　他對中國文化的高度認同表現在他的一系列研究論述中，例如他在《孔子在人類代表中的地位》一文中評價“中國孔子爲東方聖人”[37]。他的《老子與道教》、《中國文明簡史》、《中國精神》、《中國哲學史綱》、《中國文化史》、《中國的經濟心理》、《實用中國常識》等專著都對傳播中國文化發揮了很大的作用。

　　衛禮賢不僅高度評價中國古典文化，而且從他一個德國人獨特的角度來闡釋中國傳統文化的世界意義。他曾說，“中國的智慧可以救治和拯救近代的歐洲”，“歷史悠久的中國民族沒有任何奴性，卻有著兒童所特有的天真精神。”而這種天真精神“是能夠深入到生命之泉湧起的生命最深之處的成人的天真精神。”[38]由此可看出他對中國文化強大生命力的讚歎。

　　衛禮賢還認爲，從古老中國的傳統文化精神中可以找到解決西方現代社會所存在的各種弊端和問題。他對中國的新文化運動也有相當的研究和認識。他認爲中國的新一代面臨著客觀審視自身和學習外國優秀文化，並能夠將之融合到一個“新文化的合體”之中的能力。而東方和西方像相依爲命的兄弟相會在一起之日，人類的前途就大有希望。

---

37 陸安，癡迷中國文化的德國漢學家衛禮賢，[J]文史春秋，2008 年第 5 期，頁 29。
38 衛禮賢.中國心靈（中文版）[M].北京：國際文化出版公司，1998. 轉引自劉天路：德國傳教士尉禮賢的中國觀 [J].中國海洋大學學報，2003 年第 4 期，頁 54。

2.特立獨行堅持中國文化信仰

衛禮賢比當時來華的其他傳教士在中國居住的時間更長，與中國人的接觸更廣泛。他在華 25 年中與中國各社會階層人都有接觸和交往，他還喜歡去中國各地遊歷，加之他善於觀察，有耐心做細緻的調查研究，因此他對中國的民俗民情都有著相當的瞭解、對中國文化的信仰具有堅實的基礎。衛禮賢的文化信仰的堅定以及對中國社會各階層的交往對於他終身的博覽鑽研中國傳統文化典籍，獲取對中國文化的獨到精闢的見解都是頗為有益的。

但在衛禮賢翻譯研究中國典籍的同時，在德國就有批評衛禮賢的聲音。例如有人就批評他不該把中國人的作品與德國人及其他歐洲人的作品相提並論。對此衛禮賢給予堅決回擊，對這種"歐洲中心主義"傾向的批評給予有力的駁斥。他早在 1910 年就說過："今天的漢學家一直都還沒有擺脫那種以自己的標準來衡量非基督教地區事物的陳舊神學偏見。我一如既往地確信，要真正理解那些對我們來說還十分陌生的現象，如孔子，只有在充滿愛意並抱有無偏見理解願望的基礎上才是可能的。"[39]由此可見，我們在看到衛禮賢研究中國文化的巨大成就時，更應該看到他的道路並非一帆風順，而這樣思考才更能體會到他的漢學研究價值。

---

39 羅梅君。漢學界的論爭：魏瑪共和國時期衛禮賢的文化批評立場和學術地位，孫立新、蔣銳主編：《東西方之間 —— 中外學者論衛禮賢》，[M]濟南：山東大學出版社，2004 年版，頁 128。

3.漢學研究另闢蹊徑見解獨特新穎

衛禮賢的漢學研究標新立異，有他自己的獨到見解。例如：他認爲中國古代文化可有南方與北方的區分。這南北兩種文化具有互補的優勢，由此中華傳統文化成爲源遠流長的一個和諧整體。[40]他還認爲孔子學說屬於北方文化的代表，而這種文化的核心是要最終達到人類文化與大自然的和諧。他在書中闡述孔子很重視家庭的和諧的影響以及教育的作用，而從對小的家庭到大的國家、個人都有義務用愛來呵護。衛禮賢說：這些就是孔子的中國文化的基本思想。"無論中國曾經怎樣地一次又一次地陷入動盪與混亂,但是總有人一次又一次地發現人類的法規，並運用這些不朽的和諧法則重新恢復和平。中國經常被喻爲具有超穩定結構的骰子，它會跌落，但不管落向哪一方，它總是保持穩定與平衡。"[41]這就是一個德國人對孔子學說的獨到見解。

衛禮賢的老子思想研究也頗具特色。他認爲中國的老子思想與後來的佛教思想在中國的接受和影響是分不開的，這兩者之間有著某種相通之處。衛禮賢對中國的道也給與了關注和較高的評價，他認爲："中國的道教也是體現一種和諧精神的。

衛禮賢晚年著有《中國人的經濟心理》一書，在這本書

---

40 Richard Wilhelm, Ost und West, in: Wolfgang Bauer（Hrsg.）, Richard Wilhelm. Botschafter zweier Welten, Duesseldorf/ Koeln 1973.轉引自孫立新.衛禮賢論東西方文化，[J].中國海洋大學學報 2003 第一期，頁 55。

41 衛禮賢.中國心靈（中文版）[M].北京：國際文化出版公司，1998，頁 285。

裡他從對中國經濟的論說出發分析中國人的性格特徵。他認
爲中國人具有知足長樂、勤勉吃苦耐勞的性格特徵，但也具
有傳統的文化保守主義和固執性。衛禮賢還從中國文化中的
"孝"出發嘗試解讀中國鄉村的家族制度和典型的中國農民
性格特點。他認爲中國農民集體意識強烈，但自我意識淡薄。
他們眷戀土地、穩重守成、傳統保守、堅忍不拔。並認爲這
種性格的形成與長期的封閉性家族經濟密切相關。除了對農
民心理的探究外，衛禮賢還對中國城鎮人的性格進行了研
究。他認爲中國的城鎮人和鄉村農民一樣熱愛勞動、堅忍不
拔、技術熟練。而商人則反應敏捷，具有貿易的天賦與技巧，
堅決果斷注重信用。儘管對他的觀點有學者提出不同的意見
甚至批評，但衛禮賢另闢蹊徑從經濟心理學的新角度來研究
中國人的性格特徵使人耳目一新。他的關於中國經濟與中國
人性格的論說客觀合理，表現了西方人的邏輯思辯力和細緻
觀察力，以及對全人類社會發展與前途命運的關注情懷，值
得我們借鑒與思考。

　　衛禮賢的中國典籍翻譯還對歐洲的心理學研究產生了巨
大的影響。瑞士著名心理學家榮格（Carl Gustav Jung 1875-
1961）自 1920 年與衛理賢相遇並成爲終生的摯友。榮格對衛
禮賢的譯作高度評價，特別是對衛禮賢的《易經》翻譯讚不
絕口。榮格認真研讀衛禮賢的易經翻譯，這對啓迪他的創作
思維發揮了積極作用。榮格在他的《易經》英語轉譯本前言
中高度稱讚衛禮賢的《易經》翻譯爲"在西方，它是無與倫
比的版本"，並認爲對比此前英國人理雅各的《易經》譯本，
是衛禮賢的《易經》在啓迪西方人的思維方面發揮了巨大作

用。例如他的"同時性原理"（共時性原則 synchronicity）
就是受衛禮賢《易經》譯本的啟發而產生的創新觀點。

　　衛禮賢翻譯研究中國文化的獨特之處還可從他翻譯注釋
《太乙金華宗旨》和《慧命經》中略見一斑。他的這些對中
國內丹文化譯著發表後，引起著名心理學家榮格的關注並撰
文評論。衛禮賢的翻譯和榮格的評論開闢了從心理學角度研
究中國氣功內丹的先河，是衛禮賢的翻譯使得此前關於
"內丹"性質的紛紜雜亂玄而又玄的解釋豁然開朗，開闢出
一條新的簡單明瞭的研究方法。有學者評論若將中國的內丹
術作為一種特殊的心理鍛煉方法，原來一切的糾結不清的複
雜問題就都迎刃而解了。[42]

　　總之，在漢學研究領域比較而言，衛禮賢的中國文化論
著無論學術水準還是可讀性都得到西方世界相當的認可。例
如他的《中國心靈》，一經發表就立刻在西方世界獲得了廣泛
的發行量，有學者評價他的書"是一個既優雅又富有教益的
中國入門"[43]

　　衛禮賢作為一個德國人，能夠不受當時流行的"歐洲中
心主義"思想的影響，熱情翻譯傳播中國文化實屬難能可
貴。然而，這位對中學西漸做出傑出貢獻的德國漢學家在中
國近代傳教士史中卻至今名不見經傳，這種狀況理應得到糾
正。衛禮賢一生盡其所能翻譯研究傳播中國文化殫精竭力，

---

42 徐樹民，德國漢學家衛禮賢與氣功內丹術研究，[J]氣功雜誌，1997 年第
　　5 期。
43 威廉·許勒，衛禮賢的科學著作，轉引自孫立新、蔣銳主編：東西方之間
　　—— 中外學者論衛禮賢，[M]濟南：山東大學出版社，2004 年版，頁 24。

在年僅 57 歲時就因工作勞累過度而去世。但他留下的多部漢學著譯一版再版，至今仍在爲中國文化的世界傳播發揮著巨大的影響。衛禮賢作爲一個外國人如此熱愛中國文化，深入研究傳播中國文化，對我們國內一些妄自菲薄、對自己的傳統文化一概否認的崇洋迷外者是一面反思的鏡子。對魯迅所鄙視的那種食洋不化的“西崽”是一劑清醒劑。

第三節　魯迅民俗描寫的英譯與傳播的借鑒與思考

　　魯迅文學創作的成功來自他“取今復古，別立新宗”的“中間物”思想，他的文學創作不僅充滿濃鬱的民俗鄉土氣息，而且吸收西方文化中的合理因數並由此比較鑒別、進而對傳統文化中的陋習懷疑思索追問。魯迅的詩歌中就包含大量的典故和民俗描寫，對其的翻譯傳播是新世紀具有挑戰性的課題。

　　大凡被稱之爲一個民族具有代表性的偉大作家，其作品都是在繼承了本民族的優秀傳統、在發揚光大本民族傳統的基礎上的創新發展。魯迅就是這樣的民族文學的大師，他以其作品的中國風格和獨特的藝術價值爲世人所矚目。魯迅是中國現代作家走向世界的首位，西方的漢學家談中國現代文學必談魯迅。目前，魯迅的很多作品都有了世界主要文字的譯著，他爲中國文學走向世界樹立了典範。魯迅的文學創作的成功源自他“取今復古，別立新宗”的“中間物”思想，他既尋根溯源地探究中華民族文化的原點，繼承傳統民族文化的優秀因數，又放開眼界去比較去發現西方的優秀文化因數。由此，他能夠用他的一支犀利的筆揭露隱含在中國傳統民俗中的醜惡陋習並進行無情的批判。

魯迅不是專門研究民俗學的，但研究中國的民俗文化與文學繞不開魯迅。這是因為正是中國浙東的民俗文化孕育了魯迅，才使得魯迅的文學創作如此豐富多彩感人至深。魯迅認為民俗是"國民心聲"，因此，一生都在探尋治療國民的病根、啟蒙國民的魯迅自然在他的文學創作中，有意識地將民俗描寫與人物塑造聯繫在一起、將風土人情與中國人的心理觀念聯繫在一起，並對其描寫賦予深刻的象徵意義。本節對魯迅作品中民俗描寫的意義及其典型進行具體分析，並對魯迅的民俗描寫對翻譯傳播的挑戰做一些探討、對新世紀中國文學的世界跨文化交流做一些思考。

一、魯迅作品中的民俗描寫

民俗描寫在魯迅的文學作品中無處不見。例如：他的散文集《朝花夕拾》就充滿著對故鄉紹興的鄉俗民風的精彩描寫。《朝花夕拾》這個回憶童年的集子由 12 篇故事組成，其中多篇如《狗‧貓‧鼠》、《阿長與〈山海經〉》、《二十四孝圖》、《五猖會》、《無常》等都是描寫家鄉紹興的民俗故事。在這個集子裡，魯迅娓娓道來生動地描寫了家鄉的人情世故、民俗文化。集子中每一篇故事都蘊含著魯迅對家鄉、對家人、對師長的真摯情感，對民風和社會的深刻體察，每一個故事都充滿著民風民俗的風趣細緻的描寫。例如：《五猖會》中關於迎神賽會的描寫、《無常》中的關於民間鬼怪的傳說的描述等。魯迅小說中的民俗描寫更是生動，但與他在散文中對故鄉民俗的回憶不同的是，魯迅在小說中對民俗進行質疑與反思，並賦予這些民俗故事描寫以深刻的含義。例如《孔乙己》中的鹹亨酒店中不同階層人的不同的長衫、短衣的穿著，以及人們據此不同的吃酒消費。《祝福》裡關於寡婦的民俗鄉規、《阿Ｑ正傳》中阿Ｑ對“無後”做孤魂野鬼的恐懼導致的反常行為等的描寫。魯迅的雜文對民俗的描寫也是處處可見，如在《送灶日漫筆》中對民間灶神的傳說的描寫、《憂天乳》中對中國女子從頭到腳的種種清規戒律的評說等等。特別是在《故事新編》裡，魯迅“仍舊拾取古代的傳說”為故事題材，這部“神話、傳說及史實的演義”的集子裡的每個故事都含有信手拈來的中國民俗的描寫。例如在“油滑”的《采薇》裡，充滿了諸如“孝悌”、“葬禮”、“砍頭掛旗”、“裹腳”、“祭酒”、“告示”等中國特有的民俗描寫。除此之外，魯迅還有不少民間方言如“剝豬玀”和“撈兒”等在故事中的運用，由此可見魯迅廣博的民俗知識和豐富的生活經驗。魯迅的詩歌也同樣充滿民俗文化的情趣，例如：魯迅在《庚子送灶即事》一詩中，寫了送灶神上天的祀典中請灶君吃“膠牙糖”的民間習俗，以及窮苦人家典當衣物來辦供品的困境。《祭書神文》更是一首充滿著民俗情趣的《楚辭》體詩：富人過年要擺上豐盛的祭品來供財神，而詩人為清貧的書生，是用“寒泉”和“菊菹”來祭奠書神。詩歌充滿了豐富的想像力和回味無窮的文化典故如：書神坐著插著“緗旗"的"雲輿"（用雲草編成的迎接神仙的車子），用"蠹魚"（白色的書蛀蟲）駕車，"漆妃"（墨的別稱）、"管城侯"（毛筆的別稱）陪伴，還帶著仙蟲"脈望"一起遊筆海、登文塚。再如在詩歌《我的失戀》一詩中，魯迅用了"貓頭鷹"、"冰搪葫蘆"、"蒙汗藥"、"赤練蛇"等民間俗語，使得這首擬古的打油詩風趣幽默，使人讀來忍俊不止。這些都是魯迅成功地運用中國民俗文化進行文學創作的典範。魯迅不愧爲運用民俗典故寫作的文學大師，魯迅文學創作的成功與他長期受民俗文化的薰陶浸染是分不開的。

二、魯迅民俗描寫的象徵意義

研究民俗文化對文學創作的現實意義正如魯迅所言："有地方色彩的，倒容易成爲世界的，即爲別國所注意。"[44] 而魯迅的文學創作的成功就是他的"有地方色彩的"民俗描寫的成功典範。我們每個人都生活在特定的民俗文化環境之中，民俗"事實上構成了人的基本生活和群體的基本文化，任何人、任何群體在任何時代都具有充分的民俗。有生活的地方就有豐富的民俗。"[45] 偉大的文學家翻譯家魯迅也不例外。魯迅自孩提時代就生活在故鄉濃厚的民俗環境中，在長期的潛移默化中，鄉規民俗都無形地銘刻在他幼年的記憶深處，並融入他後來的作品的內容中。例如祭祀祖宗、灶神的活動，除夕夜祝福的儀式、看社戲、賀歲等等。魯迅博覽群

---

44 魯迅：《魯迅全集》第 13 卷，人民文學出版社 2005 年，頁 81。
45 高丙中：《民俗文化和民俗生活》，中國社會科學出版社，1994 年，頁 11。

書，加之自幼就接受的家鄉民俗的潛移默化，他對中國的民俗以及中國人的心理是有著深刻的認識和感悟的。魯迅善於觀察，關注中國人的精神世界，並將其與中國人的傳統歷史、社會背景與生存環境聯繫起來進行思考，將考察中國的民俗與改造中國的國民性聯繫起來進行思考。由此，他在文學作品中能夠成功地描述他的故鄉紹興的民俗，而從他的故鄉民俗描寫及其象徵意義的探討中，我們看到的是濃縮的民情，透視的是我們中華民族的靈魂。這裡略舉幾例：

　　1.女媧補天。女媧是中國古代神話中的創世女神，是中華民族的人文始祖。女媧的傳說源遠流長、內涵豐富。魯迅於1922年在《故事新編》中的《補天》篇的創作，就是融歷史與現實為一體的改寫的這一古代神話故事。在《補天》中魯迅對女媧進行了熱情的歌頌和創新，魯迅塑造的女媧形象具有偉大的品格和自然之美，還隱含著全新的象徵意義，即隱含著魯迅對新文化的創造力和堅強生命力的象徵。《補天》表現了一代文學大師魯迅對中國民間故事及民俗文化的接受與改造。魯迅曾說："我們從古以來，就有埋頭苦幹的人，有拼命硬幹的人，有為民請命的人，……，這就是中國的脊樑。"[46]魯迅筆下的女媧藝術形象，正是體現了這種可貴的創新精神的。在魯迅的故事《補天》中，在世界即將崩塌的危難關頭，是女媧義無反顧地承擔了補天的使命，鍥而不捨地奮鬥終於完成使命。而女媧當初造出的不少有著"花樣不同的臉"的"小東西"們，其生命力旺盛、延綿不絕，

---

46 魯迅：《魯迅全集》第6卷，人民文學出版社2005年，頁122。

他們是魯迅描繪的國民芸芸眾生圖。

2.大禹治水。大禹治水的故事在中國是家喻戶曉的古老傳說。魯迅在《理水》中將這個古老的中國神話故事與社會現實結合起來進行了新的創作。故事採用了改編、虛幻的手法，運用了豐富奇特的想像力和詼諧幽默的語言，賦予這個故事以新的象徵意義。在《理水》中大禹是中國民族英雄的理想化身。在故事中魯迅採用虛構的手法，運用通俗易懂的嘻笑怒罵的俚語白話，展現給讀者一個怪誕的世界。在這個荒誕的虛構的藝術世界中，充斥著腐敗無能的官員、虛偽的、喋喋不休說教的文人和受愚弄的社會底層人。在表面的滑稽鬧劇中故事深刻地揭露了魯迅所處時代社會的腐敗、人們生存的困境和無處不在的醜惡現實，表現了生存的無奈與進取的阻力與波折。最終，故事中的大禹以頑強的意志和埋頭苦幹的精神獲取了治水的最後勝利，大禹由此成爲一個成功的民族英雄。故事中大禹在治水成功後，依然是"吃喝不考究"、"衣服很隨便"，這是魯迅對大禹英雄本質的稱讚，但又寫了他"做起祭祀和法事來，是闊綽的"，"上朝和拜客時候的穿著，是要漂亮的"。[47]探討魯迅此描寫的寓意，可看做是魯迅對傳統習俗和社會風俗的認可與尊重。

3.阿 Q 的氈帽。在江浙一帶的鄉村，氈帽是當地百姓典型的民俗服飾用品，它極具地方色彩和實用性。戴著破氈帽的阿 Q 是魯迅爲著改造國民性的文學創作而成功塑造的國民典型，他是中國國民的濃縮寫照。魯迅將舊中國國民的弱點、

---

47 魯迅：《魯迅全集》第 2 卷，人民文學出版社 2005 年，頁 400。

中國人的各種劣根性都集中在阿 Q 身上著力進行了刻畫，阿 Q 戴著舊氈帽的栩栩如生的形象，給讀者留下深刻的、震撼人心的印象。《阿 Q 正傳》一經發表，立刻引起轟動，很多人都對號入座，懷疑作者在罵他自己而感到或憤怒或恐慌。這正好說明阿 Q 的藝術典型的成功魅力。魯迅也曾就阿 Q 形象創作說過：“我的方法是在使讀者摸不著在寫自己以外的誰，一下子就推諉掉，變成旁觀者，而疑心到像是寫自己，又像是寫一切人，由此開出反省的道路。”[48]可見魯迅對阿 Q 形象的塑造正符合他的創作初衷。魯迅筆下阿 Q 形象的成功塑造與他長期以來積累的豐富的民俗服飾知識、特別是給阿 Q 戴上紹興當地的氈帽分不開的。因為在文學描寫中，服飾往往是含有特定意義的符號象徵，一個人的著妝打扮往往傳遞著他的社會地位、教育程度和職業身份等個人資訊。據說阿 Q 戴的這種氈帽在浙江紹興流行已有二百多年的歷史了。它起源於很久以前的傳說，獵人追捕受傷的老虎意外地在虎穴發現了一塊羊毛氈片。原來是老虎把吃掉山羊後剩下的羊毛墊在窩內，久而久之羊毛自然形成了氈片。獵人把氈片帶回洗淨曬乾加工製成氈帽。從此，用羊毛加工這種式樣的氈帽就在當地流行起來。據說紹興正宗的這種氈帽的商標就為“虎牌”，氈帽作坊還掛著老虎的圖像來紀念氈帽的由來。在魯迅的著名小說《阿 Q 正傳》和《故鄉》中，魯迅給阿 Q 和幼年的閏土都戴上了這種極富民族風俗特點的氈帽。可見魯迅對民俗服飾特點的準確把握和成功運用。氈帽戴在阿 Q

---

48 魯迅：《魯迅全集》第 6 卷，人民文學出版社 2005 年，頁 150。

的頭上，就成了貧苦的鄉下農民的象徵，成功地實現了魯迅創作這個形象的初衷：“阿 Q 該是三十歲左右，樣子平平常常，有農民式的質樸、愚蠢，但也很沾了些遊手好閒之徒的狡猾。在上海，從洋車夫和小車夫裡面，恐怕可以找出他的影子來的，不過沒有流氓樣，也不像癟三樣。”[49]對於阿 Q 為什麼只能戴氈帽魯迅還說：“只要在頭上戴上一頂瓜皮小帽，就失去了阿 Q，我記得我給他戴的是氈帽。這是一種黑色的，半圓形的東西，將那帽邊翻起一寸多，戴在頭上的。上海的鄉下，恐怕也還有人戴。”[50]如今，魯迅於 1921 年創造的這位戴著破氈帽、腦後拖著小辮子的阿 Q，不僅在中國成為家喻戶曉的人物，並且走出了國門、成為世界文學經典藝術形象之一。到目前為止，中國現代文學藝術形象中唯有阿 Q 在世界上最出名。由此可見魯迅在文學創作中重視民俗服飾的作用、以及民俗服飾的描寫對寫作成功的巨大作用。

4.祥林嫂的白頭繩。顏色在各民族的文化中都有著不同的語義內涵和象徵意義。白色在漢族傳統文化中，自古就具有象徵”死亡”、“低賤”等含義。如：在喪禮上死者的親屬要著白色的服飾披麻戴孝。在魯迅的著名小說《祝福》裡，祥林嫂的 “白頭繩” 得到了反復的著力描寫，這給讀者留下深刻的印象，並對人物形象的成功刻畫起了很大的作用。例如：祥林嫂初到魯鎮時，“頭上紮著白頭繩，烏裙，藍夾襖，月白背心，年紀大約二十六七，臉色青黃，但兩頰卻還是紅

---

49 魯迅：《魯迅全集》第 6 卷，人民文學出版社 2005 年，頁 154。
50 魯迅：《魯迅全集》第 6 卷，人民文學出版社 2005 年，頁 154。

的。"[51]"白頭繩"是一重要的中國民俗服飾與身份標誌，它表明祥林嫂的寡婦身份。祥林嫂來魯鎮時紮著白頭繩說明她正在為她丈夫服喪期，在這個期間是不得改嫁的，但祥林嫂在這個期間為逃避被她的婆婆賣掉的厄運而出逃，這種描寫意味深刻。這裡"白頭繩"的描寫為魯迅的寫作成功發揮了畫龍點睛的藝術作用。祥林嫂第二次來魯鎮，依然紮著"白頭繩"依然是"烏裙，藍夾襖，月白背心，臉色青黃，只是兩頰上已經消失了血色，順著眼，眼角上帶些淚痕，眼光也沒有先前那樣精神了"。[52]魯迅對祥林嫂兩次來魯鎮紮著同樣的"白頭繩"的描寫，就是要通過這種民俗服飾強調祥林嫂的悲慘的寡婦身份及其被人奴役的命運，這根白頭繩的象徵意義就在於：封建禮教對婦女的摧殘是導致祥林嫂悲慘命運的根本原因。

　　5.豆腐西施的纏足。人類的腳是人身體的支撐點，它的堅強有力是健康的首要標誌。但是在漫長的中國封建社會中，一代又一代的中國婦女忍受著纏腳習俗的痛苦折磨來滿足男權社會的病態審美需求。據考，自中國古代五代十國時期就出現了婦女纏足的習俗，這種習俗經過歷史的長期演變逐漸成為一種社會文化。到了明清時期中國婦女纏足的習俗已經達到了在社會各階層普及的程度，這種習俗極大地摧殘著歷代中國婦女的心身健康。在魯迅的《故鄉》裡"豆腐西施"楊二嫂年輕時，"擦著白粉，顴骨沒有這麼高，嘴唇也沒有這麼薄，而且終日坐著"，她是這個小鎮上出了名的"豆

---

51 魯迅：《魯迅全集》第 2 卷，人民文學出版社 2005 年，頁 10。
52 魯迅：《魯迅全集》第 2 卷，人民文學出版社 2005 年，頁 15。

腐西施"，"因爲伊，這豆腐店的買賣非常好"[53]。後來，這位從前的"豆腐西施"竟然變成了"凸顴骨、薄嘴唇"、"張著兩腳，正像一個畫圖儀器裡細腳伶仃的圓規"[54]的說話刻薄、舉止自私貪婪的"醜老太婆"。從魯迅對豆腐西施楊二嫂的描寫中可看出魯迅對她既同情又鄙視的態度。"豆腐西施"的"張著兩腳，活像畫圖儀器裡細腳伶仃的圓規"是那個時代中國婦女特有的纏足習俗的真實寫照。

　　通過魯迅小說對婦女纏足習俗的批判性的揭露和描寫，我們可以進一步認識到纏足是對中國女性身心健康造成巨大摧殘的"裝飾"。女孩從小就被家長逼迫著用布把腳緊緊裹住不讓其正常自然地發育而逐漸長成畸形的所謂"三寸金蓮"，這種扭曲變態的審美令魯迅非常痛恨，魯迅曾經對此譏諷道："女士們之對於腳，尖還不夠，並且勒令它'小'起來了，最高模範，還竟至於以三寸爲度"，這麼一來，"寧可走不成路，擺擺搖搖"[55]除了對"豆腐西施"的纏腳進行批判的描述以外，魯迅還對《離婚》中的愛姑的"兩隻鉤刀樣的腳"，以及對《風波》中六斤"新近裹腳"後"在土場上一瘸一拐的往來"進行了揭露。魯迅就是要通過對這些可憐的婦女的民俗服飾的描述，來揭露舊中國社會存在的摧殘婦女的特有的服飾陋習，啓迪讀者深刻反思。

---

53 魯迅：《魯迅全集》第 1 卷，人民文學出版社 2005 年，頁 505。
54 魯迅：《魯迅全集》第 1 卷，人民文學出版社 2005 年，頁 505。
55 魯迅：《魯迅全集》第 4 卷，人民文學出版社 2005 年，頁 520。

三、魯迅的民俗描寫與翻譯傳播

　　魯迅是中國現代作家在海外的翻譯傳播中最負盛名的作家之一，在世界上許多國家，魯迅被很多人視爲與英國的莎士比亞一樣知名的偉大作家。目前，魯迅的各種文學創作在海外已經有了 50 多種外國語言翻譯的版本，魯迅的文學作品遍及全球。在新世紀，隨著新一輪翻譯熱潮的到來，魯迅作品的翻譯和傳播定將會得到進一步的發展。

　　魯迅文學的譯介爲新世紀中國文學走向世界樹立了典範，然而，與其他文學名著的翻譯傳播一樣，魯迅文學作品的翻譯與傳播也存在很多值得探討的問題。這裡談談魯迅作品中民俗文化方面的翻譯傳播值得注意的幾個問題。

1.民間習俗詞語的翻譯

　　從前兩部分的論述我們知道，魯迅的民俗描寫文學獲得了極大的成功，但要同樣成功地把魯迅的作品譯成英語、向世界傳播卻並不是一個簡單的問題。因爲中西的文化習俗與思維方式不同，在翻譯中如果把握不好這種隨時可見的異同，就不能有效地進行翻譯傳播。例如：顏色詞在中西文化中就具有不同的象徵意義，並由此可引起相應的不同聯想。在中國傳統文化中，葬禮上的服飾用白色。魯迅在《祝福》裡對寡婦祥林嫂的服飾描寫爲："頭上紮著白頭繩"。這裡，魯迅畫龍點睛的服飾特點描寫是"白頭繩"。但是在翻譯中如果直譯爲"white band"，西方讀者就讀不出譯文中的"白頭繩"的特殊中國文化含義,甚至還會產生誤解。因為在西方文化中,白色象徵著純潔,白色通常是婚禮中新娘的禮服和婚紗的顏色。如果知道這些差異,在翻譯中就會採取必要的補救方法進行恰當的處理。例如楊憲益的譯文將"頭上紮著白頭繩"譯為:"had a white mourning band round her hair" [56],這裡譯者把"白頭繩"譯為"white mourning band",添加了一個詞"mourning"(服喪),這就恰當地說明瞭問題。但最好還要再加一個注釋以詳細地對中國民俗中的白色葬禮習俗解釋為妥。再如:《故鄉》中的"猹",是魯迅根據鄉下孩子閏土的發音寫出來的,現有的英譯一般做音譯為"zha",但它究竟是何種動物可以考察後才好附加注釋。還有浙江沿海漁民用來辟邪的貝殼"鬼見怕"譯為"scare-devil"、"觀音手"譯為"buddha's hands",紹興鄉下養雞的"狗氣殺"譯為"dog-teaser"等此類涉及民間習俗的詞語的翻譯,都有推敲複譯更高明更恰當的英語表達的餘地。

2.文化典故的翻譯

在魯迅的文學作品中中國的文化典故比比皆是,要翻譯好這些中國文化典籍中的民俗描寫,就必須對其來源與歷史發展及其各種使用情況做詳細的瞭解,在此基礎上採用相應的翻譯方法,盡可能地使譯文易於被譯入語讀者所接受。分析魯迅文學作品中的民俗描寫的英譯,對今後其他民族文學

---

56 Lu Xun: Selected Works Book1, Translated by Yang Xianyi and Gladys Yang, Foreign Languages Press, 1980, P.174

典籍的翻譯具有一定的啓迪意義。例如：在魯迅的《祝福》裡，我們讀到對過年放鞭炮民俗的描寫："舊曆的年底畢竟最像年底，村鎮上不必說，就在天空中也顯出將到新年的氣象來。灰白色的沉重的晚雲中間時時發出閃光，接著一聲鈍響，是送灶的爆竹；近處燃放的可就更強烈了，震耳的大音還沒有息，空氣裡已經散滿了幽微的火藥香"[57]。楊憲益的英語翻譯爲："The end of the year by the old calendar does really seem a more natural end to the year for, to say nothing of the villages and towns, the very sky seems to proclaim the New Year's approach. Intermittent flashes from pallid, lowering evening clouds are followed by the rumble of crackers bidding farewell to the Hearth God* and, before the deafening reports of the bigger bangs close at hand have died away, the air is filled with faint whiffs of gunpowder."[58]在他的翻譯中，"送灶"被譯爲"farewell to the Hearth God"意思是不太符合漢語原意的，但要找出十分恰當的英語對應詞不容易。但楊憲益對這句的翻譯進行了加注釋的處理："On the twenty-third of the twelfth lunar month the Hearth God was supposed to go up to heaven to make a report."[59]這種添加必要的補充解釋的譯法效果較好。再如在故事的開頭的描寫：快過年時"家中卻一律忙，都在準備著'祝福'。這是魯鎮年終的大典，致敬盡禮，迎接福神，拜求來年一年中的好運氣的"。被譯爲：

---

57 魯迅：《魯迅全集》第 2 卷，人民文學出版社 2005 年，頁 5。
58 Lu Xun: Selected Works Book1, Translated by Yang Xianyi and Gladys Yang, Foreign Languages Press, 1980, P.168.
59 同上。

"every family was busy preparing for the New-Year sacrifice. This is the great end-of-year ceremony in Luzhen, during which a reverent and splendid welcome is given to the God of Fortune so that he will send good luck for the coming year." [60]這裡的 "祝福" 被譯爲 "New-Year sacrifice"。"sacrifice" 有 "祭品"、"供奉" 的意思，也有 "犧牲"、"獻身" 的意思。楊憲益選擇這個詞應該說是對應魯迅故事象徵意義的恰當的選詞。可見好的翻譯並不是僵化地按字面意思的翻譯，而是要把原作的思想內容以及象徵意義也譯出來，還要盡可能地再現原作的語境、氣氛等才稱得上是上乘的翻譯。魯迅作品中這樣的民俗典故還很多，再如在《阿 Q 正傳》第二章中關於 "未莊賽神" 的描寫等。將 "賽神" 簡單地譯爲 "the Festival of the Gods" 而沒有加注略欠妥，因爲西方讀者從這個詞的翻譯中不會瞭解到魯迅對 "未莊賽神" 的感受與描寫。再如魯迅詩歌《秋夜有感》中的 "柏栗叢中做道場" 句，"柏栗叢" 是用典指 "刑場"，"做道場" 指 "做佛事"。[61] 這些在翻譯中都得細心考證，否則就容易譯錯。現有英譯本中對這句的翻譯爲以下五種：1. "By the cypress and chestnut groves ritual altars stand." [62]，2. "While neath the chestnut and the cypress tree —— a requiem in all solemnity!" [63]，3. "Beside

---

60 Lu Xun: Selected Works Book1, Translated by Yang Xianyi and Gladys Yang, Foreign Languages Press, 1980, P.169.

61 周振甫:《魯迅詩歌注》江蘇教育出版社，2005 年，頁 278。

62 Lu Xun Complete Poems, translated by David Y. Chen, .Arizona State University, 1988. P.137.

63 Jon Kowallis: The Lyrical Lu Xun, University Of Hawaii Press, 1996, P.321

the execution ground is said the Buddhist mass" [64]4. "Beside the killing ground are Buddhist rites performed." [65]（W.J.F.Jenner）5. "Buddhist services are held near the execution ground" [66]由此可見，三位西方譯者中兩位都沒有譯出"刑場"及"做佛事"的典故含義，而中國譯者對這種民俗典故的含義是清楚的並都譯對了意思。可見要使譯文為不同文化背景的西方人理解，就要在文化典故的翻譯上下功夫。除此之外，詩歌中的句式和節奏押韻等也還需要推敲。總的來說，魯迅詩歌英譯的現有版本都存在一定的對中國民俗文化典故的正確理解和重譯、修正的空間。

3 象徵及格言俗語的翻譯

　　在魯迅的文學創作存在大量的文化象徵的暗喻和習語。例如他的小說創作中的"大禹"、"女媧"、"阿Q"等有極其深遠的象徵意義。而他的詩句中的"蘭花"、"荷花"、"蓮蓬"、"靈台"、"神矢"等等也都有著特殊的象徵意義，這類詞語在翻譯時都需要仔細推敲斟酌。魯迅的作品中還充滿著民間俚語俗語，對此，中國讀者讀起來感到親切隨和，但翻譯成英語就並非易事。若不用心體會推敲，就不能惟肖惟妙地再現魯迅原文的精彩。例如：《祝福》裡"老了"指死。詩歌《吊大學生》中的"煙花場"指妓女聚集的地方。再如在《孔乙己》中就存在不少紹興的民間俗語如："長衫

---

64 吳鈞陶：《魯迅詩歌選譯》，上海外語教育出版社，1981 年，頁 97。

65 W.J.F.Jenner: Lu Xun Selected Poems 外文出版社 2000 年，頁 63。

66 Poems of Lu Xun, translated by Huang Hsin-chyu, Joint Publishing Co.Hongkong, 1988. P.44.

主顧"、"短衣主顧"、"描紅紙"、"進學"、"營生"、"寫服辯"等等。可見魯迅作品中這樣的中國民間俗語、忌諱語和委婉語數量龐大，翻譯這樣的民俗語言詞彙，不僅要瞭解這些詞彙的歷史淵源和地域特點，還要盡可能地在譯入語中尋找接近原文詞義的對等詞彙做表達，並要有一定的注釋以盡可能準確地將這些民俗詞彙中所隱含的資訊傳遞出來。

總之，魯迅文學的民俗現象描寫反映的是我們民族的歷史現實，展現的是社會的文化風俗及民族生活的狀態。正是通過這種民俗的研究與思考，魯迅得以對傳統民俗中的優秀因數繼承與發揚光大，對腐朽的封建習俗因數進行無情的揭露和深刻的批判，並將其思考的民俗事件與他的小說的主人翁的命運聯繫起來進行描寫，由此挖掘展示其中隱含的現實意義以啓蒙國民，這就是魯迅文學中的民俗描寫的成功和價值的體現。

魯迅立足於本土立場的民俗寫作，以他的創作性的表現中國特點和民族色彩的故事來揭示並啓蒙國人沉默、麻木的靈魂，與此同時他以"拿來主義"的胸懷學習吸收西方的文化，在"中間物"哲學理論思想的比較研究基礎上創新發展，"外之既不後於世界之思潮，內之仍弗失固有之血脈，取今復古，別立新宗。"[67]魯迅的文學創作的道路就是中國文學走向世界的必由之路。

如今，在中國文學走向世界的進程中，中國文學從"拿來主義"到充滿自信地走向世界的發展變化令人鼓舞。當

---

67 魯迅：《魯迅全集》第 1 卷，人民文學出版社 2005 年，頁 57。

前，在越來越多的魯迅作品被世界各國人民所喜愛並接受的時代，魯迅作品中的民俗描寫也對翻譯提出了更多的挑戰。我們關注與研究魯迅文學經典翻譯中的相關民俗問題及其譯法，就是爲弘揚中國文化、達到魯迅"和世界的時代思潮合流，而又並未梏亡中國的民族性"[68]之文學目的，這種研究對促使中國文學經典走出國門自立于世界文學之林是十分有益的，而魯迅民俗描寫翻譯傳播的成功經驗和教訓又可以被"拿來"爲魯迅詩歌翻譯傳播服務。

---

68 魯迅：《魯迅全集》第 3 卷，人民文學出版社 2005 年，頁 574。

下　　編

第五章　魯迅詩歌英譯

　　截至目前的統計，魯迅詩歌集英譯國內外總共只有大約5 個不完全的版本，其中兩個還是國外出版的。由於各種不同的原因，這些版本不僅譯詩數量不夠，遺漏和誤譯也在所難免。

　　筆者在深入研究的基礎上，翻譯了魯迅一生所有的、從1900 年3 月至1935 年12 月的詩歌共66 題81 首，這應該是迄今為止搜集到的所有的魯迅詩歌了。譯詩按舊體詩、新體詩、民歌體詩順序目錄排列而成，請學界同仁和讀者朋友們批評指正。

第一節　魯迅舊體詩英譯

一、舊體詩

Poems in the Classical Style

別諸弟三首（庚子二月，1900 年 3 月）

謀生無奈日賓士，有弟偏教各別離。
最是令人淒絕處，孤檠長夜雨來時。

還家未久又離家，日暮新愁分外加。
夾道萬株楊柳樹，望中都化斷腸花[1]。

從來一別又經年，萬裡長風送客船。
我有一言應記取，文章得失不由天[2]。

Three Poems for Farewell to My Brothers

For making a living I have to rush around every day,

I have brothers but parted from each other far away.

The most miserable and hard for me to sustain,

The long night with lonely lamp and chilly rain.

Shortly after I'm back I leave home again,

New sorrows with nightfall and more homesick pain,

Rows of thousands willow trees along the street,

In my longing eyes all turn to sad flowers of broken-heart of sea

Another year since our last parting has past,

For ten thousand of miles wind sees off my boat.

1　斷腸花 —— 引自《采蘭雜誌》："昔有婦人懷人不見，恒灑淚於北牆之下。後灑處生草，其花甚媚，色如婦面，其葉正綠反紅，秋開，名曰斷腸花，即今秋海棠也。"
2　"文章"不僅指寫作，也具有整個人生事業的深刻內涵。這句是說人生事業的成功不能依賴天命而要靠自己的奮鬥。與英語格言"God helps those who help themselves"（自助者天助之）意思相通。

I have one word for you to remember by heart,
Successful writing does not on Heaven owned.

(1900.3.)

蓮蓬人（1900 年）

芰裳³荇帶⁴處仙鄉，風定猶聞碧玉香。
鷺影不來秋瑟瑟，葦花伴宿露瀼瀼⁵。
掃除膩粉呈風骨，褪卻紅衣學淡妝。
好向濂溪⁶稱淨植，莫隨殘葉墮寒塘！

Lotus Seedpod

Water chestnut dress, floating grass belt, growing in fairyland,
Even the breeze may cease，lingering your fragrance of jade.
Aigrets disappear and autumn wind whistling around,
Flowers of reed in bloom, dew drops for the night added.
Clearing away flaring makeup, your pureness and grace found,
Taking off the red clothes, your simplicity and grace displayed.
Firm and still like Lianxi's saying, you upright stand ,
With withered leaves falling into cold pond never lapse.

(Autumn 1900.)

3　芰裳 —— 芰（ji）菱。屈原《離騷》："制芰荷以爲衣兮，集芙蓉（荷花）以爲裳。"
4　荇帶 —— 荇（xing）水草。杜甫《曲江對雨》："水荇牽風翠帶長。"
5　瀼瀼 ——（rángráng）形容露水濃。
6　濂溪 —— 宋朝周敦頤住在濂溪（今湖南道縣），人稱作"濂溪先生"。他作有著名的《愛蓮說》。

庚子送灶即事（1901 年 2 月 11 日）

只雞膠牙糖，典衣供瓣香。

家中無長物，豈獨少黃羊[7]！

On Sacrifice to Kitchen God

（the 23rd of Dec. of the lunar year 1901）

A chicken, and the candy malt to share,

For the joss sticks pawning clothes and coat,

In the house nothing more valuable to spare,

How could only lack the tribute of the goat

（1900.2.11.）

祭書神文（1901 年 2 月 18 日）

上章困敦之歲，賈子[8]祭詩之夕，會稽戛劍生[9]等謹以寒泉冷華，祀書神長恩[10]，而綴之以俚詞曰：

今之夕兮除夕，香煙絪縕兮燭焰赤。

錢神醉兮錢奴忙，君獨何為兮守殘籍？

7　黃羊 —— 據《後漢書·陰識傳》："宣帝時陰子方者，至孝有仁恩。臘日晨炊而灶神形見，子方再拜受慶；家有黃羊，因以祀之。自是已（以）後，暴至巨富……故後常以臘日祀灶而薦黃羊焉。"魯迅這裡用典，只是說明祭灶風俗，並非祈求什麼。

8　賈子 —— 指唐朝的詩人賈島。

9　戛劍生 —— 魯迅筆名。

10　長恩 —— 明代《致虛閣雜組》："司書鬼曰長恩，除夕呼其名而祭之，鼠不敢齧，蠹蟲不生。"

華筵開兮臘酒香，更點點兮夜長。

人喧呼兮入醉鄉，誰薦君兮一觴[11]。

絕交阿堵[12]兮尙剩殘書，把酒大呼兮君臨我居。

緗旗[13]兮芸輿[14]，挈脈望[15]兮駕蠹魚[16]。

寒泉兮菊菹，狂誦《離騷》兮爲君娛。

君之來兮毋徐徐，君友漆妃[17]兮管城候[18]。

向筆海而嘯傲兮，倚文塚以淹留。

不妨導脈望[19]而登仙兮，引蠹魚之來遊。

俗丁儈父[20]兮爲君仇，毋使履閾兮增君羞。

若弗聽兮止以吳鉤[21]，示之《丘》《索》[22]兮棘其喉[23]。

令管城脫穎以出兮，使彼惙惙以心憂。

寧招書癖兮來詩囚，君爲我守兮樂未休。

他年芹茂而樨香[24]兮，購異籍以相酬。

---

11 一觴 —— 一杯酒。

12 阿堵 —— 錢的代稱。

13 緗旗 —— 淺黃色的旗子。

14 芸輿 —— 芸草編成的迎接書神的車子。

15 脈望 —— 傳說中一種食字的仙蟲。

16 蠹魚 —— 一種銀白色的蛀書蟲。書神用蠹魚駕車。

17 漆妃 —— 墨的別稱。

18 管城侯 —— 韓愈《毛穎傳》說秦始皇封筆爲管城子。

19 脈望 —— 唐段成式《酉陽雜俎》："蠹蟲三食神仙字，則化爲此（脈望）。"

20 儈父 —— 卑鄙小人。

21 吳鉤 —— 古時候一種彎形的刀。

22 《丘》《索》 —— 古書名。

23 棘其喉 —— 拿古書給這些錢奴看，這些俗子讀不出來就猶如有刺紮在喉嚨裡一樣難受。

24 芹茂樨香 —— 古時諸侯的學宮稱爲泮宮，泮宮有水稱泮水，泮水生芹藻。芹茂指芹藻茂盛，比喻入泮考中秀才。樨指木樨，即桂花。古時考中登科爲折桂。樨香指考中舉人。

Offer Sacrifice to Book God

On Chinese lunar new year's eve of 1901, I, Jia Jiansheng of Shaoxing, would like to offer Chang'en, the Book God with cold spring water as wine and icy flowers as fruits, and accompanied with my rustic poem as the following:

On the New Year's eve, curling up of incense, light bright candle,
Why do you guard the worn books alone stand.
While the moneygrubbers busy,the Money God drunken ?
The feast 's on, wine fragrant, toll after toll long night's darken.
Ablare and stoned, yet who will offer thee one cup of wine?
Broken with Ahdu, worn books are still mine,
　　welcome to my home, holding the cups high.
Rue woven carriages ,with yellow silk banners rushing,
　　drawn by silverfish Maiwang you are proudly coming.
Cold spring water and chrysanthemum as my donation,
　　chanting Lisao loudly for your contribution .
Bring Lady Ink and Guancheng, the Marquis Brush, do not linger,.
Roam in the sea of writing with holy chants, me the singer,
　　not to leave too soon from the letters' tumulus ground.
May we drive Maiwang to step on the fairyland about,
To lead the silverfish for swimming and roaming around.
Those abominable vulgar and gay,
Their stepping in my door to bother you will be in vain.

I will stop them with a Wu simitar, if they dare to defy,

Choke them with the reading of Qiu and Suo they can't reply，

Call Marquis Brush Guancheng coming and ask them to write,

So we 'll see the fools' worry and their fear to inscribe .

I would rather the book addicts and poem prisoners invite,

　and your guard of me will make us happy all the time.

When float grass flourish and laurel trees fragrant,

Some rare books in return to you I will offer and present.

February 18，1901

別諸弟三首（辛醜二月　並跋 1901 年）

夢魂常向故鄉馳，始信人間苦別離。
夜半倚床憶諸弟，殘燈如豆月明時。

日暮舟停老圃家[25]，棘籬繞屋樹交加。
悵然回憶家鄉樂，抱甕何時更養花？

春風容易送韶年[26]，一棹[27]煙波夜駛船。
何事脊令[28]偏傲我，時隨帆頂過長天！

---

25 老圃 —— 種菜的老農。
26 韶年 —— 青年時代。
27 棹 —— （zhào）船槳。
28 脊令 —— 水鳥名。古時人們以脊令比喻兄弟。

Three Poems of Farewell to My Brothers

I fly often in my dream to my homeland,

Then I believe parting is hard to bear and stand.

I lean abed missing my brothers at midnight,

Under the moon like remnant a bean candlelight.

Our boat moors by the old farmer's door at sundown,

Joint branches of trees, fences of hedges around,.

Sadly I recall the happy memories at home I remain,

Wondering when with my earthen pot shall I raise flowers again?

Spring breeze easily the youthful years blows away,

The night boat is waving in the misty river on my way.

Why the wagtails proudly flaunting and passing by,

Time and again with sail of my boat crossing broad sky!

（1901.4）

惜花四律　步湘州藏春主人元韻（1901 年）

鳥啼鈴語夢常縈，閑立花陰盼嫩晴[29]。

怵目飛紅隨蝶舞，關心茸碧[30]繞階生。

天於絕代[31]偏多妒，時至將離[32]倍有情。

29　嫩晴 —— 雨後初晴。
30　茸碧 —— 新生的細草。

最是令人愁不解，四簷疎雨送秋聲。

劇憐[33]常逐柳綿飄，金屋何時貯阿嬌[34]。
微雨欲來勤插棘，熏風有意不鳴條[35]。
莫教夕照催長笛，且踏春陽過板橋。
祗恐新秋歸塞雁，蘭艭[36]載酒櫓輕搖。

細雨輕寒二月時，不緣紅豆始相思[37]。
墮裀印屐[38]增惆悵，插竹編籬好護持。
慰我素心[39]香襲袖，撩人藍尾[40]酒盈巵。
奈何無賴春風至，深院荼蘼[41]已滿枝。

繁英[42]繞甸競呈妍，葉底閑看蛺蝶眠。
室外獨留滋卉地，年來幸得養花天[43]。

---

31 絕代 —— 絕代佳人。這裡指牡丹花，春末花開且花期短暫，故說天嫉妒它。
32 將離 —— 指芍藥花。芍藥花夏初開花且花期長，所以感到加倍有情。
33 劇憐 —— 非常憐惜。
34 阿嬌 —— 漢武帝的陳皇后的小名。"金屋貯阿嬌"原指使漂泊的女子得到歸宿，這裡是說保護好花，不要讓它們凋謝飄零。
35 鳴條 —— 風吹動枝條發出的聲音。不鳴條指微風。
36 蘭艭 —— （shuāng）用木蘭樹做的小船。
37 不緣紅豆始相思 —— 在春天的細雨微風中想去看花是自然的，並不是因為紅豆的原因。
38 墮裀印屐 —— 裀：（yīn）褥子；屐：（jī）木屐，木制的鞋。這句是說花落時有的落在了裀褥上被人珍惜，有的落到了泥土裡被人踐踏，形容人的境遇不同。
39 素心 —— 本心。也指素心花。
40 藍尾 —— 又叫婪尾春，即芍藥花。藍尾酒為輪流喝酒輪到最後一個喝的酒。
41 荼蘼 —— 薔薇科花名，夏季開花。
42 繁英 —— 繁花。

文禽[44]共惜春將去，秀野欣逢紅欲然[45]。
戲仿唐宮護佳種，金鈴輕綰[46]赤闌邊。

Four Poems of Fondness of flowers

Singing birds and jingling bells echo in my dream
Leisurely I stand in shadow of flowers longing for the sunny beam.
The red petals flying with butterflies strike my eyes,
The tender green grasses around steps ease my mind.
The peerless beauty of spring always the jealousy of heaven causes
Yet peonies bloom in summer season are the favors and cossets.
What worry me most and cause my sighing and sorrow deep
With autumn wind soughing, sparse drizzle pattering on eaves.

Sympathy for the fallen flowers with the willow floss' flotation,
When can I build golden chamber for the fair beauties protection?
Before the light rain the thorny hedges and fence prepare,
Warm south wind willingly not to whistle the twigs so fair.
Not to hasten the melody of the long flute with the dusky ray.
Step in the spring sunshine crossing the wooden bridge of the lane.
Only for fearing the wild geese return in one early autumn day,
With wine on board the magnolia boat gently I row and sway.

---

43 養花天 —— 春天微雨天氣。
44 文禽 —— 有文采的鳥。
45 紅欲然 —— 紅花像燃燒的火一樣。
46 金鈴輕綰 —— 綰：（wǎn）系住。古人用細絲繩綴金鈴於花梢之上趕鳥。

Drizzling in February with days of slight cold,

Not because of red beans I miss the flowers on show.

Seeing petals sadly crushed by pattens or falling on cushions,

I plug bamboo canes to make a fence for their protection

Fragrance of orchid consoling my heart and soaked in my sleeves

Mellow peony of wine filled in goblet spreading my spiritual sea

What shall we do with the blowing of mischievous spring breeze,

Bramble flowers full of branches in blossom the courtyard deep.

Flowers competing for beauty in full bloom around the fields,

I watch leisurely the sleeping butterflies the leaves beneath.

For cultivating flowers plot outside the room is prepared,

Luckily we have good weather this year to grow flowers and share.

Beautiful birds all feel sorrow for the departure of spring days,

Yet everywhere the land is blooming with red flowers in flame,

I learn the skills from Tang palace to protect the specimen rare,

Golden bells are gently fastened to the red railing with care.

（1901）

自題小像（1901 年）

靈台[47]無計逃神矢，風雨如盤闇故園。
寄意寒星荃不察，我以我血薦軒轅[48]！

---

47 靈台 —— 指心。出自《莊子 庚桑楚》："不可內（納）於靈台。"郭象
注："靈台者，心也。"

48 軒轅 —— 皇帝稱軒轅氏。由於我國的歷史書《史記》是從皇帝開始的，

Inscription on My Photo

The arrows of Cupid my heart can never escape,

Wind and storm dimmed my motherland like a heavy stone.

I send my prays for my people to the chilly stars in vain,

All my blood is willing to be shed for my country and home.

（1901）

《月界旅行》回末詩創作 13 對句（1903 年）
13 Couplets at the End of Chapters in *Surround the Moon*

一、壯士不甘空歲月，
　　秋鴻何事下庭除。

Heroes are not willing the time of youth to fool away,

For what descent autumn swan geese by the front gate.

二、莫問廣寒在何許，
　　據壇雄辯已驚神！

Don't ask where the Guanhan Palace situates far from,

God is already shocked by the eloquent speech on platform!

三、天人決戰，人定勝天。
　　人鑒不遠，天將何言！

所以也用軒轅指祖國，含有推翻清王朝的封建統治的精神在內。

To fight against the destiny, wins Man's determination.

His judgment will soon prove, what will Heaven demonstration!

四、吳質[49]不眠倚桂樹，
　　泉明[50]無計覓桃源。

Wu Gang leans on the cherry bay for sleep in vain,

To find the Peach Garden's origin Quan Ming has no way

五、啾啾蟪蛄，寧知春秋！
　　惟大哲士，乃逍遙遊。

Chirping cicada, it does know the seasons turned,

Great sage only, his mind is grand for travelling to world.

六、心血爲爐熔黑鐵，
　　雄風和雨暗青林。

Furnace melts the iron black with painstaking great.

Green forests darkened by powerful rainstorm and gale .

七、幸逢賓主皆傾蓋[51]，
　　獨悟天人一振衣[52]。

---

49 吳質 —— 即吳剛。此句出自唐朝詩人李賀的《李憑箜篌引》. 魯迅這裡是
借用。

50 泉明 —— 指晉代陶淵明。著有《桃花源記》等作品。魯迅曾對他評價
說 "陶潛正因爲並非渾身是 '靜穆' ，所以他偉大"。

51 傾蓋 —— 指途中相遇，停車交談，雙方車蓋往一起傾斜。形容一見如故
或偶然的接觸。

52 振衣 —— 抖衣去塵，整衣。《楚辭·漁父》: "新沐者必彈冠，新浴者必
振衣。" 王逸 注: "去塵穢也。常用來比喻將欲出仕。"

Luckily the host and guest meet with happy agreement,

They explore the rules of heaven and ready for the involvement.

> 八、天則不仁，四時攸異，
>
> 盲譚改良，聊且快意！

With different seasons, the world is not perfect and fair,

Talk blindly of innovation with rejoice even if only a blare!

> 九、硝藥影中灰大業，
>
> 暗雲堆裡泣雄魂。

The great cause turns to ashes in the gun powder shadow,

Among dark clouds the heroic souls weep with sobs and sorrow.

> 十、賴有蓮花舌，仇消談笑間。
>
> 獨憐麥壯士，從此慘朱顏。

Thanks to the eloquent tongue, hatred melted among the laughter,

With shame and the face is lost ,the only pitiful is Mai the fighter.

> 十一、俠士熱心爐宇宙，
>
> 明君折節禮英雄。

The chivalrous venture the universe with passion,

The intelligent admire the heroes with adoration.

> 十二、譚天騶衍[53]原非妄，

---

53 騶衍 ——（約前 305-前 240）“騶”亦作“鄒”。戰國時哲學家，陰陽
家的代表人物。成語：鄒衍談天。比喻善辯。鄒，通“騶”。出自《史
記·孟子荀卿列傳》：“騶衍之術迂大而閎辯；奭也文具難施……故齊人

機械終難敵慧觀。

Zou Yan's talking about the universe is not absurd ,

Mechanics can't compete against man's intelligent research.

十三、咄爾旁觀，倉皇遍野；
　　　而彼三俠，泠然善也！

Astonished and scattered about are the bystanders,

While calm and cool, looked the three warriors.

戰哉歌[54]

戰哉!此戰場偉大而莊嚴兮，

爾何為遺爾友而生還兮？

爾生還兮蒙大恥，爾母笞[55]爾兮死則止！

The Song of Fight

Fight! grandeur and solemn is the battlefield.

Why did you abandon your friends and alone survive?

You are alive but yourself disgraced indeed,

Mother would rather you to fight, to the end of the life!

頌曰：'談天衍，雕龍奭。'"

54 最初發表於 1903 年 6 月《浙江潮》月刊魯迅的《斯巴達之魂》，後被收入《魯迅全集》。

55 笞──（chī）擊，用鞭、杖、竹板抽打。

進兮歌[56]

進兮進兮偉丈夫！日居月諸浩邅徂[57]。

曷弗[58]大嘯上征途，努力不爲天所奴！

瀝血奮鬥紅模糊，

迅雷震首，我心驚栗乎？

迷陽[59]棘足，我行卻曲乎？

戰天而敗神不瘦，意氣須學撒旦[60]粗！

籲嗟乎！

爾曹胡爲彷徨而跙躇？　嗚呼！

The Song of Marching Forward

Forward! forward, you brave soldier!

Time flies, tides move billowing on with you fighter !

Why not go for the long march with shout and cry,

Try hard not to be the slaves of the fate and die!

Fighting with red blood shedding and trickling wide,

With flash thunder shock overhead, do you shiver and tremble?

When thorns sting your feet, do you twist your steps humble?

56　此詩見於魯迅翻譯的法國凡爾納科幻小說《地底旅行》（1906 年版）第
　　六回末。原以爲是魯迅的譯詩，後來被證實出魯迅創作之詩。全詩的大
　　意是：

57　日居月諸浩邅徂 —— "居"、"諸"爲助詞，無義。浩邅徂：指大流失。
　　全句爲：光陰大流失。

58　曷弗 —— 何不。

59　迷陽 —— 棘辭、有刺的植物。

60　撒旦 —— 魔鬼。

Even if we would be defeated, our spirit never yield,

like Satan our will is strong and never failed.

Alas, why should you still hesitate and move back ,

And your foot dragging and courages lack ?

哀范君三章[61]（1912 年）

風雨飄搖日[62]，餘懷範愛農。

華顛萎寥落[63]，白眼[64]看雞蟲[65]。

世味秋荼苦[66]，人間直道窮[67]。

奈何三月別，竟爾[68]失畸躬[69]！

海草國門碧，多年老異鄉。

狐狸方去穴，桃偶已登場。

故里寒雲惡，炎天凜夜長。

獨沈清泠水，能否滌愁腸？

---

61 魯迅此首詩首次刊登在 1912 年 8 月 21 日的紹興《民興日報》上，原署
　名爲黃棘。1934 年修改後題爲《哭範愛農》編入《集外集》。

62 這裡指中國當時動盪的時局就像處在風雨飄搖之中一樣。

63 華顛 —— 顛：頭頂。華顛：頭髮花白。萎：枯萎。寥落：頭髮稀疏。

64 白眼：《晉書·阮籍》：（阮籍）見禮俗之士，以白眼對之。

65 雞蟲：杜甫《縛雞行》："雞蟲得失無了時，注目寒江倚山閣。"魯迅
　用 "雞蟲" 的諧音暗喻當時打擊排擠範愛蟲農的自由党人何幾仲。

66 荼苦 —— 荼：（tú）苦菜。《詩·穀風》："誰謂荼苦，其甘如薺。"

67 直道窮 —— 正直之人，不阿諛奉承有權勢的人故處處碰壁。

68 竟爾 —— 居然。

69 失畸躬 —— 畸（jī）：不合群、脫俗的，超群的人。畸躬：與世俗不合而合
　與正道之人。這裡指範愛農爲人正直而處處碰壁收人排擠打擊。

把酒論當世，先生小酒人[70]。
大圜[71]猶茗艼[72]，微醉自沉淪[73]。
此別成終古，從茲絕緒言。
故人[74]雲散盡，我亦等輕塵。

　　我於愛農之死，爲之不怡累日，至今未能釋然。昨忽成詩三章，隨手寫之，而忽將雞蟲做入，真是奇絕妙絕，辟曆一聲，群小之大狼狽。今錄上，希大鑒定家鑒定，如不惡，乃可登諸《民興》也。天下雖未必仰望已久，然我亦能已於言乎？二十三日，樹又言。

Three Stanzas of Mourning for Mr.Fan

I cherish the memory of Fang Ainong the windy and stormy day.

Glaring at the snobbish chicks and worms, sparse haired grey.

Like the sow-thistles in autumn, the world tastes bitter.

The upright and straight nowhere to go, only dead end to suffer.

Why for only three months parted and not seen and heard,

One unyielding man like you is forever under the earth!

Sea woods on the shore of the border turn green again,

For years you wandered in the foreign land and aged became.

Foxes just left their lairs, the peach-wood puppets jump in soon.

---

70 小酒人 ── 看輕一味飲酒取樂的酒徒。
71 大圜 ── 指天。
72 茗艼 ── 同酩酊，指大醉。
73 微醉自沉淪 ── 自：自然。沉淪：這裡指範愛農的沉水自殺。
74 故人 ── 老朋友。

Cold clouds overcast hometown, summer night long and gloom.

Why do you drown yourself in the clear and cold water alone,

Does it wash away the grief and clean miserable mind and sorrow?

A cup of wine in hand to comment on the times and tides,

Remember that you always the alcoholic and drunkards despise.

In a state of chaos and boozy everywhere around,

You only slightly tipsy and willingly you sunk and drowned.

One old friend like you lost like the clouds dispersed,

And I also will be a tiny dust and go to disappeared!

（1912）

我的失戀[75]

—— 擬古的新打油詩（1924）

我的所愛在山腰；
想去看她山太高，
低頭無法淚沾袍。
愛人贈我百蝶巾；
回她什麼？貓頭鷹。
從此翻臉不理我，
不知何故兮使我心驚。

75　《我的失戀》的創作是針對當時文壇上盛行的"哎呦喂，我要死了"的
　　失戀詩而創作的。魯迅此詩是用來諷刺那些扭捏作態的戀愛詩的，也是
　　用來警示當時的青年人。

我的所愛在鬧市；
想去尋她人擁擠，
仰頭無法淚沾耳。
愛人贈我雙燕圖；
回她什麼：冰糖葫蘆。
從此翻臉不理我，
不知何故兮使我糊塗。

我的所愛在河濱；
想去尋她河水深，
歪頭無法淚沾襟。
愛人贈我金表索；
回她什麼：發汗藥。
從此翻臉不理我，
不知何故兮使我神經衰弱。

我的所愛在豪家；
想去尋她兮沒有汽車，
搖頭無法淚如麻。
愛人贈我玫瑰花；
回她什麼：赤練蛇。
從此翻臉不理我，
不知何故兮 ── 由她去吧。

1924.10.3.

My Lost Love[76]

（archaistic doggerel）

My love lives on the mountainside,

I want to see her but the mountain too high,

With lowered head and tear-stained gown of mine.

My love presents me with a hankerchief of her all,

With embroidered hundred of butterflies;

What shall I give her in return? —— an owl .

Since then she falls away and goes-by ,

I'm frightened and I don't know why.

My love lives in the busy town,

I want to see her but too much a crowd

With upward face and tear-stained ears but no way to go.

My love presents me with a picture of double- swallow.

What shall I give her in return? —— sweetmeats gourd ice frozen.

Since then she falls away and goes-by,

I'm confused and I don't know why.

My love lives on a river shore,

I want to see her but the water too deep and broad,

---

76 Lu Xun wrote this humorous doggerel poem to ridicule and satirize the prevailing poems of love which stroke attitudes at his time, such as "oh, I 'm going to die".

With tilted head and tear-stained garment front ,no any thought,

My love presents me with a gold watch chain;

What shall I give her in return? —— sudatory the medicine.

Since then she falls away and goes-by,

I'm crack-up and I don't know why.

My love lives in a grand villa away far,

I want to see her but have no car,

Pouring tears like sea , with my head's shake,

My love gives me rose sweet and shows grace;

What shall I give her in return? —— rainbow snake.

Since then she falls away and goes-by,

I don't know why and let her do as she likes.

（1924）

替豆萁伸冤（1925 年）

煮豆燃豆萁，萁在釜下泣 ——
我燼你熟了，正好辦教席！

Appeal for the Beanstalks

To burn the beanstalk for boiling the beans,

The beanstalk sobbed and wept underneath.

When I burned to ashes you are just right,

Be ready for teachers' banquet in good time .

（1925）

劍鑄歌三首[77]（1926 年 10 月作）

（1）[78]

哈哈愛兮愛乎愛乎！

愛青劍兮一個仇人自屠[79]。

夥頤連翩兮多少一夫[80]。

一夫愛青劍兮嗚呼不孤。

頭換頭兮兩個仇人自屠[81]。

一夫則無[82]兮愛乎嗚呼！

愛乎嗚呼兮嗚呼阿呼，

阿呼嗚呼兮嗚呼嗚呼！

（2）[83]

哈哈愛兮愛乎愛乎！

愛兮血兮兮誰乎獨無。

民萌冥行兮一夫壺盧[84]。

---

77 魯迅在 1936 年 3 月 28 日給日本友人增田涉的信中說：“在《鑄劍》裡，我以為沒有什麼難懂的地方。但要注意的，是那裡面的歌，意思都不明顯，因為是奇怪的人和頭顱唱出來的歌，我們這種普通人是難以理解的。”

78 第一首歌為宴之敖者所唱。

79 青劍為魯迅《鑄劍》中描寫的雌雄雙劍。“一個仇人自屠”指楚王的仇人眉間尺自殺。

80 這句是說暴君多得接連不斷，而暴君愛青劍的已不至一個。夥頤：多啊。連翩：連續不斷。

81 兩個仇人自屠----指指眉間尺和宴之敖者兩人先後自殺。

82 一夫則無----指楚王被殺。

83 第二首也為宴之敖者所唱。

84 此句中，民萌：老百姓。冥行：黑暗中摸索行進。壺盧：大笑。

彼用百頭顱，千頭顱兮用萬頭顱！
我用一頭顱兮而無萬夫。
愛一頭顱兮血乎嗚呼！
血乎嗚呼兮嗚呼阿呼，
阿呼嗚呼兮嗚呼嗚呼！

（3）[85]

王澤流兮浩洋洋，
克服怨敵，怨敵克服兮，赫兮強！
宇宙有窮止兮萬壽無疆。
幸我來也兮青其光[86]！
青其光兮永不相忘。
異處異處兮堂哉皇！
堂哉皇哉兮嗳嗳唷，
嗟來歸來，嗟來陪來兮青其光！

Three Songs of Sword Founding

（1）

Haha love, oh love, oh love!

For love of the blue sword, one foe his head off cuts.

The tyrants are many, they are not only one.

Not only one tyrant the blue sword loves

A head for a head, two foes their heads off cut.

---

85 第三首是眉間尺的頭在銅鼎沸水裡所唱。
86 這句是說復仇者身著青衣，手持青劍閃著青光。

The tyrant then is gone, oh love, woo hoo!

Oh love, woo hoo, woo hoo, ah hoo

Ah hoo, woo hoo, woo hoo, woo hoo!

（2）

Haha love, oh love, oh love!

Oh love, oh blood, who has not only his own blood.

Oh the tyrant laughs，the people in darkness suffer,

Oh he enslaves hundreds and thousands of heads for his need.

I sacrifice one head of mine for saving thousands of employees,

Oh, love one head, oh blood, woo hoo!

Ah hoo, woo hoo, woo hoo, woo hoo!

（3）

Infinite royal grace of your majesty flows,

Conquer the foes, foes are Conquer, oh the mighty power grows!

The universe will end, oh your majesty long live and shows.

Luckily I am here, oh how the sword blue glinting through

Different site we are, oh your mighty high bloom

Your mighty high, oh ai-ai-yoo!

Oh come, oh come to join me, how glinting blue the sword glows!

吊盧騷[87]（1928 年）

脫帽懷鉛[88]出，先生蓋代窮[89]。

---

87 此首詩歌見《三閑集·頭》，是魯迅模仿清朝王士禎的《詠史小樂府》裡吊袁紹的詩而作，意在諷刺梁實秋對盧騷的攻擊。

頭顱行萬裡，失計造兒童[90]。

My Condolence to Rousseau

Hat in hand, with your quill-pen you leave,

Your wandering life is the most suffering indeed.

Your head was pilloried afar for thousands of li;

You missed your tip as your writing of children for tease.

（1928）

題贈馮慧熹[91]

殺人有將，救人爲醫。

殺了大牛，救其子遺[92]。

小補之哉，烏乎噫嘻？！

To Feng Huijia

The Generals kill, the doctors heal.

The most are killed, a few are healed.

A tiny remedy, alas! Dear me!

---

88 脫帽：同原詩的“長揖”，爲古人作別時的禮貌。懷鉛：攜帶書寫工具，即筆。

89 蓋代窮 —— 一代中最窮困潦倒不得志者。

90 此句是說盧騷寫兒童教育的書《愛彌兒》失算了，因被梁實秋“借頭示眾”。此句揭露諷刺保守派學者對進步思想家的攻擊。

91 這首四言詩是魯迅一九三〇年九月一日在上海給學醫的女學生馮慧熹題寫在紀念冊上的。馮爲廣東海南人，是許廣平的表妹。此題詩散佚四十六年後被發現後發表於一九七六年一月《文物 —— 革命文物特刊》上。

92 子遺 —— 子（jié）.剩餘.

贈鄔其山[93]（1931 年）

廿年居上海，每日見中華。
有病不求藥，無聊才讀書。
一闊臉就變，所砍頭漸多。
忽而又下野，南無阿彌陀。

To Uchiyama

For twenty years live in shanghai, you see china every day.

Illness needs no medicine,reading's when feeling bored a change.

Once in power, more heads cut with officer's turned face,

Suddenly out of power, then Namo Amita again.

送O.E・君攜蘭歸國[94]（1931 年）

椒焚桂折佳人老[95]，獨托幽岩展素心。
豈惜芳馨[96]遺遠者，故鄉如醉有荆榛。

93　鄔其山即日本人內山完造，"鄔其山"是日語"內山"（Uchi Yama）的
　　音譯。

94　O.E.即日本人小原榮次郎（Obara Eijero），當時在東京橋開設京華堂，經
　　營中國文玩和蘭草。《魯迅日記》1931 年 2 月 12 日："日本京華堂主人
　　小原榮次郎買蘭將東歸，爲賦一絕句，書以贈之。"

95　椒焚桂折：比喻忠貞正直的人受到殘害。椒、桂均爲香木名。佳人老比
　　喻有才德的人不能有所作爲。

96　芳馨：指蘭花。出於《楚辭・九歌・山鬼》："折芳馨兮遺所思。"

To Mr. O.E. Back to Japan with Orchids

The spice plants burnt and broken, the beauty is getting old,

Still elegant with pure scent ,in the valley the orchid only,

How could I be reluctant the fragrant to my foreign friend to part?

My land not awaken yet with brambles and thorns near and far.

（1931）

慣於長夜[97]（1931 年 2 月）

慣於長夜過春時，挈婦將雛鬢有絲。

夢裡依稀慈母淚，城頭變幻大王旗。

忍看朋輩成新鬼，怒向刀叢覓小詩。

吟罷低眉無寫處，月光如水照緇衣。

I'm Accustomed to the Long Night

I'm accustomed to the long nights of spring time,

Temples gray , I fled with my kid and my wife ,

I see dimly my loving mother's weeping in my dream,

Flags of warlords changing on top of the town gate to see.

I can hardly stand to bear my friends turned into new ghosts,

Angrily I compose this little poem from the sword forests.

Chanting over I frown for nowhere to write it down,

Only the moonlight like water soaking my black gown.

97　這首詩見於《南腔北調集·爲了忘卻的紀念》，是魯迅爲悼念 "左聯" 五烈士而作。

贈日本歌人[98]（1931 年）

春江好景依然在，遠國征人此際行。
莫向遙天望歌舞，西遊演了是封神。

To a Japanese Dramatist

The beautiful view by the spring river remains the same,
But you voyager from a far away land is homebound today .
Not to look back for the songs and dances on stage here,
After Pilgrimage to the West is Apotheosis of Gods again.

（1931）

無　題[99]（大野多鉤棘 1931 年）

大野多鉤棘，長天列戰雲。
幾家春嫋嫋，萬籟靜愔愔[100]。
下土惟秦醉[101]，中流輟越吟。
風波一浩蕩，花樹已蕭森。

Untitled（the thistles and thorns）

The thistles and thorns filled with the wild,

98　這首詩是魯迅贈給日本劇評家升屋治三郎的。
99　這首詩是魯迅寫給日本人片山松藻的。
100　愔愔[yīnyīn]：形容幽深、悄寂。
101　下土：指中國，出自《離騷》。惟秦醉：只是因爲上帝醉了，才把秦地給了秦穆公。據漢朝張衡《西京賦》："昔者大帝說（悅）秦穆公而觀之，饗以鈞天廣樂，帝有醉焉，乃爲金策，錫（賜）用此土，而剪諸鶉首。"醇首指二十八宿中的井宿到柳宿，指秦國境土。

With clouds of war covered the long space of sky.

The gentle spring breeze few can feel and sense

All sounds are hushed into a dead still and silence.

Due to the drunk of God, the land of Qin is in sleep.

Yue singing is ceased in the mid of the stream.

When the torrent is billowing and moving on,

The flower trees are desolate and barren then.

（1931）

湘靈歌[102]（1931 年）

昔聞湘水碧如染，今聞湘水胭脂痕。

湘靈妝成照湘水，皎如明月窺彤雲。

高丘寂寞竦中夜[103]，芳荃零落無餘春。

鼓完瑤瑟人不聞，太平成象盈秋門[104]。

Song of Goddess of Xiang River

Xiang river was said as dyed of jade- green,

Now I am told it is red with a tint of rouge ,

The Goddess dresses up by the mirror of the stream,

peeping from the clouds of rose ,like bright moon.

At midnight still, the high mount lonesome and chill through,

Spring flowers withering, no fragrant remain.

---

102 這首詩是魯迅寫給日本人片山松本的。
103 高丘：古代楚國山名。
104 秋門：借指當時的南京。

Playing of lute stopped, and nobody had heard a tune.

Sigh of peace increscent, only to fill the autumn gate.

（1931）

無題二首[105]（1931 年）

大江日夜向東流，聚義群雄又遠遊。

六代綺羅成舊夢[106]，石頭城上月如鈎。

雨花臺邊埋斷戟，莫愁湖裡余微波。

所思美人不可見，歸憶江天發浩歌。

Two Untitled Poems

（1）

The mighty river flows east night and day,

The gathered heroes travel afar once again.

The glory of six dynasties has become an old dream,

Above the Stone City only a sickle-like moon hangs and beams.

（2）

By Rain flower platform the broken spears buried deep,

Worry-not Lake is rippling with shimmer,

---

105 這裡第一首是魯迅書贈日本律師宮崎龍介的。第二首是贈送日本女作家柳原燁子（白蓮女士）的。

106 六代：這裡指吳、東晉、宋、齊、梁、陳這六個建都在建康（南京）的朝代。綺羅為絲織品。這裡借喻繁華。這句是說南京的繁華已經成為過去的舊夢了。

Nowhere the beauty I miss is visible to see,

My recalling song soaring to the sky over the river.

（1931）

送增田涉[107]君歸國（1931 年）

扶桑[108]正是秋光好，楓葉如丹照嫩寒。

卻折垂楊送歸客，心隨東棹[109]憶華年。

Farewell to Mr. Masuda Wataru Back to Japan

Now is in Fusang island just the beautiful autumn days,

Red maple leaves shine in the gentle and slight cold.

By breaking a willow twig I send you my guest homebound sail,

my heart recalls my youth there following the eastward boat.

（1931）

無　題[110]（血沃中原 1932 年）

血沃中原肥勁草，寒凝大地發春華。

英雄多故[111]謀夫病，淚灑崇陵[112]噪暮鴉。

---

107 這首詩是魯迅送給日本人增田涉歸國的的詩。增田涉爲爲日本知名的中
　　國文學研究者。

108 扶桑：指日出之處。

109 東棹：東去的船。

110 這首詩是魯迅寫給日本人高良富子的。

111 多故：指多事、爭吵不休。

112 崇陵：高大的墳陵。這裡指中山陵。

Untitled（blood soaked the midland）

Blood soaked midland where the strong grass grows,
spring flower sprouting，awaking is the frozen great earth
The heroes fall into noisy quarrels, politicians are all nerves,
Tears scattered on Zhongshan Tomb with caw of dusk crows.

（1932）

偶　成[113]（1932 年）

文章如土欲何之，翹首東雲惹夢思。
所恨芳林寥落甚，春蘭秋菊不同時。

An Impromptu

Literature is but dust and where should I go,
In dream my heart fly with the eastward clouds.
Regretting the aromatic woods desolate and lone,
Spring orchid and autumn daisy not together show.

贈蓬子[114]（1932）

驀地飛仙降碧空，雲車雙輛挈靈童。

---

113 這首詩是魯迅寫給浙江吳興人沈松泉的，沈於 1925 年在上海創辦光華
　　書店，出版魯迅譯普列漢諾夫的《藝術論》等書。
114 此詩是魯迅應姚蓬子求字之請即興記事的遊戲之作。詩中所說的是
　　"一・二八"上海戰爭時，穆木天的妻子攜帶兒子乘人力車到姚蓬子家
　　找尋丈夫的事情。詩中穆木天被戲稱爲"天子"。

可憐蓬子非天子，逃去逃來吸北風。

To Pengzi

Out from the blue suddenly a fairy falls and appears.
double carriages of clouds, with accompanied angel one，
Yet pitifully remind , Penzi is not the Heaven's son,
So in the northern wind flees the fairy there and here.

一‧二八戰後作[115]（1932 年）

戰雲暫斂殘春在，重炮清歌兩寂然。
我亦無詩送歸棹，但從心底祝平安。

Written after the January 28, 1932 Incident

War clouds temporarily pause, the remnant spring lingers,
Both heavy guns and light music are no more around.
Sorry I have no poem to accompany you the homeward traveler,
But from the bottom of my heart wish you safe and sound.

自　嘲[116]（1932 年）

運交華蓋欲何求，未敢翻身已碰頭。
破帽遮顏過鬧市，漏船載酒泛中流。
橫眉冷對千夫指，俯首甘爲孺子牛。
躲進小樓成一統，管它冬夏與春秋。

---

115 此詩爲魯迅贈送日本反戰歌唱家山本初枝女士的。
116 此詩爲魯迅 1932 年 10 月 12 日應南社詩人柳亞子所請而作。

Self-Mockery

What can I ask for if I fall into Huagai the bad fortune ?

I bumped my head even before I turn it over for a venture.

Broken hat covered my face , I go across the busy street,

On board of the leaky boat with wine, drifting over the stream.

Eyes glared, I calmly defy the thousand pointing fingers,

Head bowed, I willingly serve like a cow to her youngsters.

Hiding into a small building, I make my world behind the door,

I shall not care the cycling of the four seasons anymore.

（1932）

授雜詠四首（1932 年）

（1）[117]

作法不自斃，悠然過四十。

何妨賭肥頭[118]，抵當辯證法。

（2）[119]

可憐織女星，化爲馬郎婦。

烏鵲疑不來，迢迢牛奶路。

---

117 這首詩是說錢玄同的。錢玄同曾戲說："四十歲以上的人都應該槍斃。"
　　據說他還在北京大學說過 "頭可斷，辯證法不可開課" 的話。

118 魯迅《兩地書 一二六》中說錢玄同 "胖滑有加，嘮叨如故"。

119 這首詩是魯迅說趙景深的。趙景深曾將天河（Milky Way）誤譯爲 "牛
　　奶路"，又將德國小說《牛人牛馬怪》誤譯爲《牛人牛牛怪》。參看魯
　　迅《二心集・風馬牛》。

（3）[120]

世界有文學，少女多豐臀。

雞湯代豬肉，北新遂掩門。

（4）[121]

名人選小說，入線雲有限。

雖有望遠鏡，無奈近視眼。

Four Poems of Mockery on Some Professors

（1）

You made rules but yourself not obey .

You pass the age of forty in a leisure way.

Why not make your fat head on bet,

So the teaching of dialectics to set.

120　這首詩說章衣萍。章曾在《枕上隨筆》一文中說："懶人的春天哪！我連女人的屁股都懶得去摸了！"又據說他向北新書局預支了一大筆版稅，曾說過"錢多了可以不吃豬肉，大喝雞湯"的話。

121　這首詩說謝六逸。謝曾編選過一本《模範小說選》，選錄魯迅、茅盾、葉紹鈞、冰心、鬱達夫的作品，於 1933 年由上海黎明書局出版。他在序言中說："翻開坊間出版的中國作家辭典一看，我國的作家快要湊足五百羅漢之數了。但我在這本書裡只選了五個作家的作品，我早已硬起頭皮，準備別的作家來打我罵我。而且罵我的第一句話，我也猜著了。這句罵我的話不是別的，就是'你是近視眼啊'，其實我的眼睛何嘗近視，我也曾用過千里鏡在沙漠地帶，向各方面眺望了一下。國內的作家無論如何不止這五個，這是千真萬確的事實。不過在我所做的是'匠人'的工作，匠人選擇材料時，必要顧到能不能上得自己的'墨線'，我選擇的結果，這五位元元元作家的作品可以上我的'墨線'，所以我要'唐突'他們的作品一下了。"

（2）

Pitiful is the waving maid,

The wife of a horse herder became,

The flying Magpies is puzzled and reluctant ,

The milk way is far away a long distant.

（3）

There is literature of the world,

Talking about the plump hips of girls,

When pork steaks replaced by chicken soup,

Beixin bookshop will be closed very soon.

（4）

The celebrity makes novels selection,

Only a few are of standard-sized.

Though he has a telescope for identification,

Unfortunately he is but a near-sighted.

所　聞[122]（1932 年 12 月 31 日）

華燈照宴敞豪門，嬌女嚴妝侍玉樽。

忽憶情親焦土[123]下，佯看羅襪掩啼痕。

Hearsay

Inside the mansion's grand gate splendid lights shine.

---

122 《魯迅日記》1932 年 12 月 31 日：“爲內山夫人寫雲：（略）。”
123 焦土 —— 被戰火燒焦的土地。

A charming girl dressed up waiting at the jade vessels of wine.

Sudden recall of the buried under the ravages of war of her dears,

Pretending to adjust her silk stockings to hide the trace of tears .

無題二首[124]（1932 年）

故鄉黯黯鎖玄雲，遙夜迢迢隔上春。

歲暮何堪再惆悵，且持卮酒食河豚[125]。

皓齒吳娃[126]唱柳枝[127]，酒闌人靜暮春時。

無端舊夢驅殘醉，獨對燈陰憶子規[128]。

Two Untitled Poems

Hometown is darkened and overcast the gloomy clouds,

In the long night the fine spring time is still far away.

At the end of the year how can I bear more troubles again,

Better to drink the wine and enjoy the swellfish for now .

The girl of Wu with pretty white teeth sings *the willows song*,

The feast is over, noises are quieted and the guests are gone.

Somehow old dreams dispel my lingering ebriety and I'm sober,

---

124 此兩首是魯迅為當時在上海開設的筱崎醫院裡的日本醫生濱之上、坪井
　　兩人的贈詩。

125 卮酒：（zhī）杯酒。《魯迅日記》1932 年 12 月 28 日："晚，坪井先生
　　邀至日本飯館吃河豚，同去並有濱之上醫士。"

126 皓齒吳娃 —— 皓齒：牙齒潔白。吳娃：吳地的女孩。

127 唱柳枝 —— 中國漢代有《折楊柳曲》，折柳贈別的歌。

128 子規 —— 杜鵑鳥。

Under the shadow of lamp the Cuckoo's calling I now remember.

無　題（洞庭木落 1932 年）

洞庭木落楚天高，眉黛[129]猩紅涴[130]戰袍[131]。
澤畔有人吟不得[132]，秋波渺渺失《離騷》。

Untitled（leaves by Dongting Lake）

Sky of Chu is high , fall the leaves by Dongting Lake ,
Warrior's army robe with brow-black and rouge-red stains.
The singing of someone has long past away,
Wash Lisao in rustling with gentle autumn waves.

答客誚[133]（1932 年）

無情未必真豪傑，憐子如何不丈夫？
知否興風狂嘯者，回眸時看小於菟[134]？

129　眉黛 —— 指婦女。
130　涴 ——（wò），污染、弄髒。
131　對此詩有著各種不同的解釋，尤其是對"眉黛猩紅涴戰袍"句的理解有各種分歧。本書作者認爲：本詩是魯迅爲勸阻鬱達夫去杭州而寫的。"眉黛猩紅涴戰袍"句是暗示鬱達夫受他的夫人王映霞勸告，終於搬到杭州岳父家了。魯迅認爲鬱達夫的去杭州，對其實現進行革命文學創作的遠大抱負有影響。參見周振甫《魯迅詩歌注》。
132　據《楚辭·漁父》："屈原既放（被放逐），游走江潭（江邊），行吟澤畔。"渺渺：（miǎo）水色邈遠。
133　本詩是魯迅對某些嘲笑他溺愛孩子的人的回答。
134　小於菟 ——（wūtú），古指小老虎。

Answering the Ridicule of Someone

A hero is not equal to the heartless and cruel mind,

Why should a great man without caring his child?

Don't you see the roaring tiger that makes gale,

Glancing back now and then for its cubs' safe?

二十二年元旦（1933 年）

雲封高岫[135]護將軍，霆擊[136]寒村滅下民。

到底不如租界好，打牌聲裡又新春。

Lunar New Year's Day of 1933

Clouds cap the high mountains for the general's protection,

Thunderbolt splits poor villages, common humbles' destruction.

Anyway, in the foreign concession is the best place to remain ,

Where clacking of mahjong-playing announces the new year's day.

（1933）

贈畫師[137]（1933 年）

風生白下[138]千林暗，霧塞蒼天百卉殫[139]。

願乞畫家新意匠，只研朱墨作春山。

---

135 雲封高岫 —— 多雲的高山。

136 霆擊 —— 指當時戰爭中的飛機轟炸。

137 據《魯迅日記》1933 年 1 月 26 日：此詩是爲日本畫師望月玉成所書。

138 白下 —— 古代地名，唐朝時爲南京的別稱。

139 百卉殫 —— 殫：（dān），百種花草枯萎。

To a Painter

Wind blows from Nanking and darkens the forests，
Fog stuffs the sky and fades the plants and flowers.
I wish you could a new skill of drawing design,
Use only vermeil to paint the peak of spring time.

學生和玉佛[140]（1933）

寂寞空城[141]在，倉皇古董遷。

頭兒誇大口，面子靠中堅[142]。

驚擾詎雲妄？奔逃只自憐。

所嗟非玉佛，不值一文錢。

Student and the Jade Buddha

Lonely deserted city remains here,
Antiques are moved out and disappear.
The big shot has a lot of brags and boasts,
To save face they depend on those backbones.
Why should students be blamed for fleeing away?
Helplessly they leave with self-pity and shame.
Alas! students are not valuable gems and Buddha of jade,
Their lives are not worthy even a single penny on sale.

---

140 此詩最初發表於 1933 年 2 月 16 日《論語》半月刊 11 期，署名動軒。
　　見《南腔北調集·學生和玉佛》。
141 空城 —— 這裡指 1933 年的北京城。
142 中堅 —— "中堅" 這裡指當時的把大學生作爲中堅分子來維持面子的
　　做法。

吊大學生（1933 年）

闊人已騎文化去，此地空余文化城。
文化一去不復返，古城千載冷清清。
專車隊隊前門站，晦氣重重大學生。
日薄榆關[143]何處抗，煙花場[144]上沒人驚[145]。

Mourning for the College Students

The rich has ridden and gone on culture,
　only the empty cultural city is left and stay.
The culture will not return since its departure,
　the ancient city will a millennium stagnancy remain .
Flowing the stream of special trains in Qianmen station,
　while unlucky and unfit college students facing the invasion.
Where is the place with setting sun of Elm Pass for defense,
　not even a speck of scare in the field of misty- flowers to sense.

題《吶喊》[146]（1933 年）

弄文罹文網[147]，抗世違世情。
積毀可銷骨[148]，空留紙上聲。

---

143 榆關 —— 山海關。在日本侵略者進犯下 1 月 3 日淪陷。
144 煙花場 —— 舊指妓院。mist-flowers: Chinese euphemism for brothels.
145 這句是說日本侵略軍已逼近山海關。但哪裡看到一點抵抗呢？
146 據《魯迅日記》1933 年 3 月 2 日：本詩及題《彷徨》為贈送日本人山
　　縣初男索小說兩冊的題詩。
147 罹文網 —— 罹：（lí）遭逢,遭遇。陷入文網。

Inscription on *"Battle Cry"*

Doing literary writing from literary trap I struggled,

Defying against society violates rules of the world we worried.

Accumulated slanders and rumors will destroy a man,

In regret leave only my battle cry on a paper I can.

題《彷徨》[149]（1933 年）

寂寞新文苑，平安舊戰場。

兩間[150]餘一卒，荷戟獨彷徨。

Inscription on *Wandering*

Forlorn and abandoned is the new literary center,

With peaceful air the old battle ground covered.

In between the two there stands a fighter,

Halberd in hand, back and forth a wanderer.

（1933）

悼楊銓[151]（1933 年）

豈有豪情似舊時，花開花落兩由之[152]。

何期淚灑江南雨，又爲斯民哭健兒[153]。

---

148 積毀可銷骨 —— 積累讒言誹謗的話，可以銷滅骨肉之親。

149 參見題《吶喊》詩注。

150 兩間 —— 天地間。

151 楊銓，（1883-1933）字杏佛，江西清江人。任中國民權保障同盟執行委
　　員，1933 年 6 月 18 日爲國民黨藍衣社特務暗殺於上海，20 日魯迅曾往
　　萬國殯儀館送殮，送殮回去後寫成此詩。

152 花開花落兩由之 —— 是說聽任花開花落都不去管它，這是激憤的話。

Mourning for Yang Quan

My old lofty sentiments has already gone and die,

I care not if the flowers in bloom or decline.

How can I expect my tears today a southern pouring rain,

All out shedding for the people's loss of a son great.

題三義塔[154]（1933 年）

　　三義塔者，中國上海閘北三義裡遺鳩埋骨之塔也，在日本，農人共建之。

> 奔霆飛熛[155]殲人子，敗井頹垣剩餓鳩。
> 偶值大心離火宅[156]，終遺高塔念瀛洲[157]。
> 精禽夢覺仍銜石[158]，鬥士誠堅共抗流。
> 度盡劫波兄弟在，相逢一笑泯恩仇[159]。

　　西村博士于上海戰後的喪家之鳩，持歸養之；初亦相安，而終化去。

---

153 斯民—此民，這人民。健兒指楊銓。

154 見 1933 年 6 月 21 日《魯迅日記》。西村真琴是一日本醫生。

155 奔霆飛熛 —— 指戰爭中的槍炮轟擊與焚燒。

156 大心 —— 善良之心。有著善良之心的人把鳩鳥從著火的宅子中救出來。

157 瀛洲 —— 傳說中的東海仙山。

158 精禽 —— 即精衛. 據《山海經》記述這種叫精衛的鳥原是炎帝的女兒，一天她去東海遊玩時突遭風暴襲擊死去，此後變成了"精衛鳥"。精衛鳥去西山銜來石子和樹枝一次又一次投到大海裡，想要把東海填平。晉代詩人陶淵明詩："精衛銜微木，將以填滄海"。後來人們常用"精衛填海"來比喻按既定的目標堅毅不拔地奮鬥到底。

159 泯恩仇 —— 泯（mǐn），消除仇恨。

建塔以藏，且征題詠，率成一律，聊答遐情雲爾。

一九三三年六月二十一日魯迅並記

Inscription for Sanyi Pagoda

Sanyi Pagoda, where the remains of Chinese dove was buried. It was built by some Japanese farmers for the memory of a homeless dove found in Sanyi lane, Zhabei District, Shanghai China.

Roaring thunderclaps kill the lives with flying flame,
Broken wells, declining walls, a starve dove in cave.
Fortunately by a kind man, taken out the burnt to save,
In the lofty tower with memory of longing ultimately remains
Should it pebbles pick, wake and change into bird Jingwei,
Resisting the torrent of war, fighting with the warriors brave.
Going through the catastrophe brotherhood unchanged,
May we meet with smile again, hatred be melted away.

Dr. Nishimura Makoto found a homeless dove in Shanghai after the war. He took it back to Japan and raised it. At first it was all right .Later it died. Then he managed to build a pagoda for it and ask me to write an inscription for it .So I write the following verse in response to his sentiments from afar.

Lu Xun in June 21, 1933

無　題（禹域多飛將 1933 年）

禹域多飛將[160]，蝸廬剩逸民。
夜邀潭底影，玄酒[161]頌皇仁[162]。

Untitled（many a flying generals）

Many a flying generals in the grand Yu land,
A few snail-shelled cells for the survived farmhands .
Inviting my own shadow from the deep pond at night,,
With a cup of pure water, toast to his Majesty's being kind.

（1933）

悼丁君[163]（1933 年）

如盤夜氣壓重樓[164]，剪柳春風導九秋[165]。
瑤瑟凝塵清怨絕[166]，可憐無女耀高丘。

160　禹域：中國。飛將指空軍。
161　玄酒，水也，以其色黑謂之玄。
162　頌皇仁 —— 悲痛到了極點反而麻木了，以不死爲慶倖。此句諷刺意味深
　　刻。
163　丁君，即女作家丁玲，曾於 1933 年 5 月在上海被國民黨逮捕，當時盛
　　傳她在南京遇害。魯迅作此詩悼念之。
164　重樓 —— 層樓。
165　九秋 —— 秋季共九十天。九秋即秋末。
166　瑤瑟 —— 指玉制的瑟。這句的大意爲：彈奏瑤瑟的人已去，瑤瑟塵封，
　　再也聽不到那清怨的樂曲了。

Mourning for Ms. Ding

The night weighs on the tiered mansion like a millstone,

Late autumn season is led by breeze of cutting-leaves-of willow

Jade lute was dust-laden and the pure tunes hush ,

It's a pity no beauty shinning on the high of the hill above.

（1933）

贈人二首[167]（1933 年）

明眸越女[168]罷晨裝，荇水荷風是舊鄉。
唱盡新詞歡不見，旱雲如火撲晴江。

秦女[169]端容理玉箏，梁塵踴躍[170]夜風輕。
須臾響急冰弦絕[171]，但見奔星勁有聲。

Two Poems for Presentations

The bright-eyed maid from Yue in the morn up dressed,

Her home land is by green water and lotus wind impressed,

All the new songs finished she missed her afar lover,

And the flaming clouds, burning sun over the droughty river.

---

167 據《魯迅日記》，此二首爲 1933 年 8 月 21 日午後爲森本清八君寫。
168 越女 —— 本指西施，這裡泛指美女。
169 秦女 —— 這裡泛指會彈奏樂器的女子。
170 梁塵踴躍 —— 形容歌音繞梁，激越振盪，美妙動人。
171 須臾響急冰弦絕 —— 冰弦：潔白的弦。絕：斷了。

The maiden from Qin plays jade harp with grace,

The music is touching , night breeze fades.

Broken with rapid and swift notes the chord of ice,

With strength and sound, a shooting star is gliding by.

無　題（一支清采 1933 年）

一支清采妥湘靈[172]，九畹貞風[173]慰獨醒。

無奈終輸蕭艾密[174]，卻成遷客[175]播芳馨。

Untitled（a clear and pure lotus）

A clear and pure lotus befits Xiang goddess the grace,

Chaste wind from the orchid garden consoles the lonely awaken.

We are helpless with so many ill weeds thrived in the field,

So to the other land for the scent spreading to immigrate.

（1933）

無　題（煙水尋常事）（1933 年）

煙水尋常事，荒村一釣徒。

深霄沈醉起，無處覓菰蒲[176]。

---

172 一支清采妥湘靈 —— 采一朵清麗的香花祭獻給湘水之神。

173 九畹貞風 —— 畹（wǎn）：古代地積單位。說法不一，一說 30 畝爲一畹，
　　一說 12 畝爲一畹。九畹貞風指蘭花貞潔的風姿.

174 蕭艾 —— 毒草，喻小人。

175 遷客 —— 被放逐的人.如屈原。

Untitled（mist covered waters）

Mist covered water a usual thing around,

A fisherman with the lonely soul , village wild,

Wake up in the deep night from the drunken mind,

Wondering for where the reeds and rushes to be found.

（1933）

阻鬱達夫移家杭州[177]（1933 年）

錢王[178]登假[179]仍如在，伍相隨波[180]不可尋。

平楚日和憎健翮[181]，小山香滿蔽高岑[182]。

墳壇冷落將軍嶽[183]，梅鶴凄涼處士林[184]。

---

176 無處覓無處覓菰蒲 —— 菰蒲：（gū pú）植物名即茭白。此句指水鄉無歸
宿處。

177 鬱達夫：小說家,魯迅的朋友。他因在上海發起組織 "中國自由大同盟"
等革命活動而恐遭迫害,想搬到杭州去住。魯迅這首詩作於一九三三年
十二月三十日。據《魯迅日記》記載,該詩是爲當時郁達夫妻子王映霞
寫的。

178 錢王：即錢鏐（852-932）,臨安（今浙江杭州）人,五代時吳越國的
國王。

179 登假：同登遐,舊稱帝王的死亡爲登假。

180 伍相隨波：伍相,即伍子胥,春秋時楚國人。父兄爲楚平王所殺,他出
奔吳國,助吳伐楚。後勸吳王夫差滅越,吳王不聽,賜劍迫令自刎,"乃
取子胥屍盛以鴟夷革,浮之江中"（見《史記·伍子胥列傳》）。

181 平楚：平林。登高望遠,見樹木連成一片,就像平地一樣。日和：陽光
和煦。健翮：矯健的翅膀。常用來借指矯健的飛禽,亦比喻有才能的人。

182 蔽：蔽於,被遮掩。高岑：高山。

183 將軍嶽：指嶽飛（1103-1142）,相州湯陰（今屬河南）人,南宋抗金
將領。後被主和派趙構（宋高宗）、秦檜謀害。杭州西湖畔有嶽墳。

184 處士林,指林逋（967-1028）,字君複,謚號和靖先生,錢塘（今浙江

何似舉家`，風波浩蕩足行吟。

Against Yu Dafu's Migration to Hangzhou

King Qian long passed away, but his shadow lingering around,
Premier Wu drifted with the waves but couldn't be found.
Level woods and gentle breeze is not the eagle's sky,
Low hills and fragrant flowers block the view of mount high.
General Yue's tomb is deserted to the forlorn wild,
Hermit lin's plum groves and crane pavilion a lonesome sign.
Why not go with your family for a journey far and wide
Striding and chanting with the billowing wind and tide.

報載患腦炎戲作[185]（1934 年）

橫眉豈奪蛾眉冶，不料仍違眾女[186]心。
詛咒而今翻異樣，無如臣腦[187]故如冰。

Humorous Reply to the False News about My Suffering of "Meningitis"

How can the furious brows to the moth-brows' charm compare?
I didn't expect these bewitching ladies to annoy and offend.

　　杭州）人，宋代詩人。隱居西湖孤山，喜種梅養鶴。著有《和靖詩集》。
　　孤山有他的墳墓、鶴塚和放鶴亭。這兩倒裝句意爲："嶽將軍墳壇冷落，
　　林處士梅鶴淒涼"。
185 據《魯迅日記》1934 年 3 月 16 日記有："聞天津《大公報》記我患腦
　　炎，戲作一絕寄靜農雲 ── 。"
186 眾女 ── 指小人、饞人。
187 臣腦 ── 我的腦子。古人自謙稱爲臣。

Now the curses are ridiculously redoubled and deepened,

Yet my brain still sound as cold ice in clean air.

（1934）

無　題（萬家墨面 1934 年）

萬家墨面[188]沒蒿萊[189]，敢有歌吟動地哀？

心事浩茫連廣宇，於無聲處聽驚雷。

Untitled（myriads of gloomy faces）

Amid wild bushes submerge myriads of gloomy faces,

Who dare to sing songs of sorrows the earth to shake?

With boundless land my heart concerns and stirs,

In silence and hush to listen to the billowing of thunders.

秋夜有感[190]（1934 年）

綺羅幕後送飛光[191]，柏栗叢邊作道場[192]。

望帝終教芳草變[193]，迷陽聊飾大田荒[194]。

---

188 萬家墨面 —— 指無數人家遭戰爭摧毀，家破人亡，痛苦不堪、面孔又黑又瘦。

189 蒿萊 —— 野草。

190 《魯迅日記》1934 年 9 月 29 日：“午後，……又為梓生書一幅雲：（略）。”梓生：張梓生，曾主編《申報》副刊《自由談》。

191 飛光 —— 飛逝的光陰。

192 柏栗叢邊：刑場。作道場：做佛事。出自《論語·八佾》：“哀公問社於宰我。宰我對曰：‘夏後氏以松，殷人以柏，周人以栗，曰，使民戰慄。’”社是古代祭土地神的地方，用來做社神的樹木有松柏栗二種。古代在社那裡殺犯人。

何來酪果供千佛，難得蓮花似六郎[195]。
中夜雞鳴風雨集[196]，起然煙捲覺新涼。

On an Autumn Night

Behind the fine silk curtain, time is fooled away,
By the ground of execution，is Buddhist altars' construction.
Accompanies the fragrant grass withering, the cuckoos wail,
The thorns spreading out for the wild land's decoration.
Where to get creams and fruits for the thousand Buddhas to offer？
The lotus-flower like Lord Sixth is hard to find as the performer,
The cock crows and the wind and storm gathers at mid night,
Feeling the fresh cold around, I up rise and a cigar to light.

題《芥子園畫譜 三集》贈許廣平（1934 年）

此上海有書局翻造本。其廣告謂研究木刻十餘年，始雕是書。
實則兼用木版、石版、玻黎版及人工著色，乃日本成法，非盡木
刻也，廣告誇耳！然原刻難得，翻本亦無勝於此者，因致一部，
以贈廣平。有詩爲證：

---

193 望帝：古蜀王杜宇，死後化爲子規（杜鵑），春末悲啼時，眾芳零落。
　　屈原《離騷》：“蘭芷變而不芳兮，荃蕙化而爲茅。”
194 迷陽：一種有刺的草。
195 “難得蓮花似六郎”——《唐書·楊再思傳》：“人言六郎似蓮花，非也；
　　正謂蓮花似六郎。”六郎原指武則天的面首張昌宗，此處指梅蘭芳。當
　　時班禪在杭州啓建“時輪金剛法會”，曾邀梅蘭芳在會期內表演。但梅
　　蘭芳沒有去。魯迅這裡是諷刺在作道場時還要演戲。
196 中夜雞鳴風雨集——《詩·風雨》：“風雨如晦，雞鳴不已。既見君子，
　　雲何不喜。”是說世道混亂而想念賢才。

十年攜手共艱危，以沫相濡亦可哀[197]。

聊借畫圖怡倦眼，此中甘苦兩相知。

　　　　　　　　　　戌年多十二月九日之夜，魯迅記

Inscription on the Mustard Seed Garden's Guide to Chinese Painting, Volimn 3; to Xu Guangping

For ten years we have gone through the hardships hand in hand,

We wet each other with foam miserably like two fish on land.

Let us enjoy the paintings and ease our weary eyes,

Only our two hearts know the bittersweet there in life.

（1934）

亥年殘秋偶作（1935 年）

曾驚秋肅臨天下，敢遣春溫上筆端。

塵海[198]蒼茫沉百感，金風蕭瑟走千官[199]。

老歸大澤菰蒲盡[200]，夢墜空雲[201]齒發寒。

竦聽荒雞偏闃寂[202]，起看星斗正闌幹[203]。

---

197 以沫相濡 ── （yǐ mò xiāng rú）沫：唾沫；濡：沾濕，濕潤。原指泉水
　　幹了，魚吐沫互相潤濕。比喻一同在困難的處境裡，用微薄的力量互相
　　幫助。出處《莊子・大宗師》："泉涸（hé,乾枯），魚相與處於陸，相
　　呴（xǔ，吹）以濕，相濡以沫，不若相忘於江湖。"

198 塵海：廣大的人世間。

199 金風：秋風。古人以五行來配季節，秋爲金。走千官：大量官員逃跑。

200 老歸大澤菰蒲盡 ── 菰蒲爲生長在水邊泊傳之處。菰蒲盡：老了無處可歸。

201 空雲 ── 空中雲裡。高處不勝寒。

202 竦（sǒng）聽：凝神傾聽。荒雞：夜裡啼叫的雞。闃寂（qùjì）：靜寂。

203 星斗：北斗星。闌（lán）幹：橫斜。北斗橫斜爲天快亮時。

An Impromptu in Late Autumn

Once gone through the chilly autumn spreading over the land
Dare I bring to the tip of my pen the warm spring wind back?
All kinds of emotions sunk deeply into the extensive dust sea,
With the whistling autumn wind thousand of officials flee.
Back to broad marshes when old, nowhere to find water reeds,
In dream I drop from empty clouds with shivering cold to teeth.
Stand in awe, listen to the rooster's cry but nothing heard,
Rise up to see, the stars of the Dipper are right over the head.

（1935）

第二節　魯迅新體詩英譯

二、新體詩

Poems in the Modern Style

夢[204]

很多夢，乘黃昏起哄。
前夢才擠卻大前夢時，後夢又趕走了前夢。

204　本詩最早發表於 1918 年的《新青年》第 4 卷第 5 號。

去的前夢黑如墨；在的後夢墨一般黑；
去的在的仿佛都說，"看我真好顏色"。
顏色許好，暗裡不知；
而且不知道，說話的是誰？

暗裡不知，身熱頭痛。
你來你來，明白的夢。

Dreams

A lot of dreams, bubble up in the dusk.

The last dream squeezes the prior one,

    the dream behind catches up,

    and drives away the previous dream.

The last dream just past is as black as ink,

    the latter present dream is inky black .

The past and the present dreams all seem to talk,

    "how beautiful my colors look".

Maybe their colors are right, but it is hard to tell in dark.

And I don't know who is speaking ?

In the dark I can't tell, and I have a fever and headache.

You come, come, the frank dream, please come you frank!

愛之神[205]

一個小娃子，展開翅子在空中，
一手搭箭，一手搭弓，
不知怎麼一下，一箭射著前胸。
"小娃子先生，謝你胡亂栽培！
但得告訴我：我應該愛誰？"
娃子著慌，搖頭說："唉！
你是還有心胸的人，竟也說這宗話。
你應該愛誰，我怎麼知道。
總之我的箭是放過了！
你要是愛誰，便沒命的去愛他；
你要是誰也不愛，也可以沒命的去自己死掉。"

God of Love

A little boy, with wings spreading in the air about,
One hand with arrow , the other the bow.
Somehow he shoots, one arrow hits a man's chest.
"Little boy, sir, thank you for your blind favor the best!
But please tell me " whom should I love I don't know?"
The boy gets alarmed, shakes his head and frowns:
"Oh, you are a man with heart, how can you say so?
Whom should you love? How could I know?

---

205 本詩最早發表於 1918 年 5 月的《新青年》第 4 卷第 5 號。

Anyhow I have shot the arrow!

If you love someone, you can love as mad as you can.

If you love no one, go and drop to die as you glad."

桃 花[206]

> 春雨過了，太陽又很好，隨便走到園中。
> 桃花開在園西，李花開在園東。
> 　我說，"好極了！桃花紅，李花白。"
> 　（沒說，桃花不及李花白。）
> 桃花可是生了氣，滿面漲作"楊妃紅"。
> 　好小子！真了得！竟能氣紅了面孔。
> 　我的話可並沒得罪你，你怎的便漲紅了面孔！
> 　唉！花有花的道理。我不懂。

The Peach Blossom

The rain of spring stopped and the sun is bright.

I walk leisurely in the garden with relaxed mind.

The peach flowers are blooming on the west ,

The plum flowers are on the east.

I say "Great ! Peach flowers are red , plum flowers are white."

（I didn't say peach flowers are not as white as the plum flowers.）

But peach flowers are angry with flushed "Lady Yang red"

---

206 本詩最早發表於 1918 年 5 月的《新青年》第 4 卷第 5 號,署名唐俟。

faces.

Good boy! Fancy to see your flushed face.

I didn't say anything to offend you, why flush your face so?

Well, flowers have flower's reasons. That I don't know.

他們的花園[207]

小娃子，卷螺發，

銀黃面龐上還有微紅，── 看他意思是正要活；

　　走出破大門，望見鄰家：

　　他們大花園裡，有許多好花。

用盡小心機，得了一朵百合[208]；

又白又光明，像才下的雪。

好生拿了回家，映著面龐，分外添出血色。

　　蒼蠅繞花飛鳴，亂在一屋子裡 ──

　　"偏愛這不乾淨花，是糊塗孩子！"

　　忙看百合花，卻已有幾點蠅矢。

看不得；捨不得。

瞪眼望天空，他更無話可說。

　　說不出話，想起鄰家：

　　他們大花園裡，有許多好花。

Their Garden

Little boy, with curly hair, like snails of the sea,

---

207 本詩最早發表於 1918 年 7 月的《新青年》第 5 卷第 1 號，署名唐俟。
208 百合 ── 百合花爲純潔的象徵。

His life is fresh —— with silvery yellow face, slight red cheek.

Stepping out of the broken gate, a neighbor's house he sees.

In their large garden, there are many flowers.

With great effort of a little kid, he gets a lily so fair,

White and bright, like fresh snow,

Taking it home with great care, his face lightened reddish glow.

Flies bustling and buzzing around, the flower a mess in the home.

　"Fancy loving this dirty flower, you boy so silly!"

Hurry to look at it, already some fly-drops on petals of the lily.

He can't bear to look at it, and reluctant to throw it away,

Staring into the sky, he has nothing to say.

He has nothing to say, and thinks of the neighbor's house ,a show.

In their large garden , many flowers grow.

人與時[209]

一人說，將來勝過現在。

一人說，現在遠不及從前。

一人說，什麼？

時道，你們都侮辱我的現在。

從前好的，自己回去。

將來好的，跟我前去。

這說什麼的，

我不和你說什麼。

---

209 本詩最早發表於 1918 年 7 月的《新青年》第 5 卷第 1 號。

Man and Time

A man says, " The Future is better than the Present ."

A man says, " The Present is far less better than the Past."

A man says, "What?"

Time says, you all have insulted my Present.

The one who is in favor of the Past, go back to it.

The one who is in favor of the Future, follow me to pursue it.

The one who said "what？"

I have nothing to say about it.

他[210]

一

"知了"不要叫了，

他在房中睡著；

"知了"叫了，刻刻心頭記著。

太陽去了，"知了"住了，—— 還是沒有見他，

待打門叫他，—— 鏽鐵鍊子系著。

二

秋風起了，

快吹開那家窗幕。

---

210 本詩最早發表於 1919 年 4 月的《新青年》第 6 卷第 4 號。詩歌裡的 "我"
是追求 "他" 的人。

開了窗幕，會望見他的雙靨。

窗幕開了，── 一望全是粉牆，

白吹下許多枯葉。

三

大雪下了，掃出路尋他；

這路連到山上，山上都是松柏，

他是花一般，這裡如何住得！

不如回去尋他，── 阿！回來還是我家！

He

（1）

Cicadas, do not cry loud,

He sleeps in the house ;

Cicadas cries, he 's all the time in my mind.

The sun is setting, cicadas no longer cry,

── still without seeing him all the while.

I'm ready to knock the door open wide,

Yet tied with rusty iron chains about.

（2）

The autumn wind is through.

Be quick, blows open the window curtains please.

When the curtains parted, his face with dimples will be seen.

Window curtains opened, —— only a whitewashed wall to view.
It only blows down lots of dry leaves.

（3）

Heavy snow falls, to find him out the road I sweep;
This road leads to the mountain, all covered with pine trees.
He is like a flower, how could he live here indeed!
Better go back to find him,--Ah! Be back here is still my field!

《而已集》題辭[211]（1926 年 10 月 14 日）

這半年我又看見了許多血和許多淚，
然而我只有雜感而已。

淚揩了，血消了；
屠伯們逍遙複逍遙，
用鋼刀的，用軟刀的。
然而我只有“雜感”而已。

連“雜感”也被“放進了應該去的地方”時，
我於是只有“而已”而已！

　　以上的八句話，是在一九二六年十月十四夜裡，編完那年那時爲止的雜感集後，寫在末尾的，現在便取來作爲一九二七年的雜感集的題辭。
　　一九二八年十月三十日，魯迅校訖記。

211　《而已集》題辭最初收入《華蓋集續編》，爲魯迅在編完該書時所作。

Inscription for the Collection of Nothing More

This half year more blood and tears again I have seen,
But I have only some random thoughts, nothing more .

Tears wiped, bloodstains dried,
The killers are at large and shout high.
They use soft knives or knives of steel.
But, I only have nothing more than some random thoughts.

When the random thoughts were put to the suitable place even,
I then shall only have *nothing more* for the nothing more!

第三節　魯迅民歌體詩英譯

三、民歌體詩

Poems in the Ballad Style

兒歌的"反動"[212]

天上半個月亮，
我道是"破鏡飛上天"，

---

212 本篇最初發表於一九二二年十月九日《晨報副刊》，署名某生者。見《魯迅全集》第 1 卷，頁 411《兒歌的"反動"》。魯迅的這首兒歌是為諷刺胡懷琛的兒歌而作的。

原來卻是被人偷下地了。
有趣呀，有趣呀，成了鏡子了！
可是我見過圓的方的長方的八角六角的
菱花式的寶相花式的鏡子矣，
沒有見過半月形的鏡子也。
我於是乎很不有趣也!

1922 年 10 月 9 日

"Reaction" of the Children's Song

Half of the moon is in the sky around,

I think "it is the broken mirror flown there about",

But it's said that it was stolen to the ground,

What a fun, what a fun! It becomes a mirror!

I have seen round, square, long, octagonal, hexagonal, caltrop-
  flower shaped, and geometric-blossom patterned mirrors,

But never seen such a half-moon shaped mirror.

Now I don't feel it interesting any more.

好東西歌

南邊整天開大會，北邊忽地起烽煙，
北人逃難南人嚷，請願打電鬧連天。
還有你罵我來我罵你，說得自己蜜樣甜。
文的笑道嶽飛假，武的卻雲秦檜奸。
相罵聲中失土地，相罵聲中捐銅錢，

失了土地捐過錢，喊聲罵聲也寂然。
文的牙齒痛，武的上溫泉，
後來知道誰也不是岳飛或秦檜，聲明誤解釋前嫌，
大家都是好東西，終於聚首一堂來吸雪茄煙。

Song of the Good Things

Meetings of the south all day long,
While in north burning the beacon fire of war.
Northern people flee and southerners shout,
Petitions and cables busy around .
You curse me and I swear at you,
Everyone boasts himself man of honeydew.
Civilians mock at those who are fake Yue Fei,
While militarists speak of evil Qin Hui.
Amid the quarrels the country lost its land,
During the cursing the tax's in hand.
After the land is lost，the money made,
Shouting and swearing to silence to fade.
Civilians get toothache, militarists go to hot- spring.
It turned out later no one is Yue Fei or Qin Hui ,they agree.
Get reconciled ,and declare the misunderstanding all they are.
Alas, all of us good things, sit and gather round for cigars.

公民科歌[213]

何鍵[214]將軍捏刀管教育，說道學校裡邊應該添什麼。

首先叫作"公民科"，不知這科教的是什麼。

但願諸公勿性急，讓我來編教科書，

做個公民實在弗容易，大家切莫耶耶乎[215]。

第一著，要能受，蠻如豬玀力如牛，

殺了能吃活就做，瘟死還好熬熬油。

第二著，先要磕頭，

先拜何大人，後拜孔阿丘，拜得不好就砍頭，

砍頭之際莫討命，要命便是反革命，

大人有刀你有頭，這點天職應該盡。

第三著，莫講愛，

自由結婚放洋屁，最好是做第十第廿姨太太，

如果爹娘要錢化，幾百幾千可以賣，

正了風化又賺錢，這樣好事還有嗎？

第四著，要聽話，大人怎說你怎做。

公民義務多得很，只有大人自己心裡懂，

但願諸公切勿死守我的教科書，

免得大人一不高興便說阿拉[216]是反動。

---

213 本篇最初發表於 1931 年 12 月 11 日《十字街頭》第一期，署名阿二。《公民科歌》是魯訊針對當時的"中小學課本增設公民科"提案創作的政治諷刺詩。

214 何鍵（1887-1956）字芸樵，湖南醴陵人，當時任國民黨湖南省政府主席。

215 耶耶乎——上海一帶方言，馬馬虎虎的意思。

Song of Citizenship Course

General He Jian, sword in hand, the schooling manages,

He decides what should be added to school courses.

First is "Citizenship Course", but no one has idea about it.

I wish all of you be patient, let me compile the text,

To be a citizen is no easy thing, we must be careful for it.

First, one should bear, tough as a pig and a cow to toil,

Killed for meat and alive for work, die of plague, that's for oil.

The second, one should learn to go kowtow .

Kowtow first to Lord He, Kowtow next to Kong Ah-qiu,

Your head will be off, when kowtow unskilled

Don't beg for your head when killed.

Or an anti-revolutionary you will be called.

The lord has a sword and you have a head,

The divine duty you should do.

The third, don't talk love, freedom to marriage is foreign fart,

You 'd better be the tenth, or twentieth concubine at all .

If parents ask for money, you can be sold for much more,

So to rectify the morality and earn the bucks too,

Is there anything better than this rule?

The fourth, you should obey, do whatever the Lord says,.

A lot of the civil duties, only Lord himself clearly knows,

---

216 阿拉 —— 上海一帶方言，我的意思。

I hope you not to follow my text in a foolish and stiff way,

Lest the Lord be angry , me an anti-revolutionary scold.

南京民謠[217]

大家去謁陵[218]，強盜裝正經。

靜默十分鐘，各自想拳經[219]。

Nanjing Ballad

All go to call on the mausoleum,

Robbers behaves for a while in the solemn,

Mourn for ten minutes in silence and still,

While each think of his own boxing tricks and skills.

"言詞爭執" 歌[220]（1932）

一中全會[221]好忙碌，忽而討論誰賣國，

粵方委員嘰哩咕，要將責任歸當局。

吳老頭子[222]老益壯，放屁放屁來相嚷，

說道賣的另有人，不近不遠在場上。

---

217 這首詩最初發表於 1931 年 12 月 25 日《十字街頭》半月刊第二期。

218 謁靈：參謁靈墓。這裡指國民黨的各派系一起去謁中山陵一事。

219 拳經：打拳的方法。

220 本篇最初發表於 1932 年 1 月 5 日《十字街頭》第三期，署名阿二。

221 一中全會指 1931 年 12 月 22 日至 29 日在南京召開的國民黨四屆一中全會。會上寧粵兩派互相謾罵。當時報紙稱之為"言詞爭執"。

222 吳老頭子指吳稚暉（1865-1953），江蘇武進人。時任國民黨中央監察委員、中央政治會議委員。他講話時常帶有"放屁放屁，真正豈有此理"的話頭。

有的叫道對對對，有的吹了嘶嘶嘶，

嘶嘶一通不打緊，對對惱了皇太子[223]，

一聲不響出"新京"，會場旗色昏如死。

許多要人夾屁追，恭迎聖駕請重回，

大家快要一同"赴國難"，又拆臺基何苦來？

香檳走氣大菜冷，莫使同志久相等，

老頭自動不出席，再沒狐狸來作梗。

況且名利不雙全，那能推苦只嘗甜？

賣就大家都賣不都不，否則一方面子太難堪。

現在我們再去痛快淋漓喝幾巡，酒酣耳熱都開心，

什麼事情就好說，這才能慰在天靈。

理論和實際，全都括括叫，

點點小龍頭，又上火車道。

只差大柱石[224]，似乎還在想火拼，

展堂同志血壓高，精衛[225]先生糖尿病，

國難一時赴不成，雖然老吳已經受告警。

這樣下去怎麼好，中華民國老是沒頭腦，

想受黨治也不能，小民恐怕要苦了。

---

223 皇太子指孫科（1891-1973），當時任國民黨中央執行委員會常委、行政院長。

224 大柱石指胡漢民等。胡漢民（1879-1936），號展堂，廣東番禺人，當時任國民黨中央政治會議常務委員、立法院院長。"大柱石"出自 1931年12月27日《申報》報導林森促胡漢民入京與會電文中，有"我公爲黨國柱石，萬統共仰"等詞語。

225 汪精衛（1883-1944），原籍浙江紹興，生於廣東番禺。當時任國民黨副總裁、國民黨中央政治委員會常務委員。抗日戰爭時期在南京成立僞國民政府任主席。

但願治病統一都容易，只要將那“言詞爭執”扔在茅廁裡，
放屁放屁放狗屁，真真豈有之此理。

Song of "Dispute"

First conference of central committee , busy and bustling about,

Suddenly , the traitor of the country they want to find out.

Representative from Guangdong mutters and mumbles,

They say the government officers are blamed fools.

Wu Zhihui , strong and tough ,old in age,

He shouts "fart, fart" in rage .

Someone betrays, yet not far, just here in the scene.

Some sneer, Some agree,

The sneering does not matter even a thing,

But the agree, makes the prince lose his sense.

He leaves the new capital in a sullen way,

The color of hall flags turn to pale.

Many big shots hurry to chase,

Respectful they beg him back again.

All of us fight, for the country and nation,

Why should we bother, to destroy the construction?

The dishes are cold, Champagne bubbles flat,

Not to make our comrades wait and sad ,

Old chap is willingly absent and go away,

So no fox will spoil the treat and game.

Besides, you can't have fame and fortune together,

The sweet go hand in hand with the bitter.

To sell the land or not to sell, all of us should agree.

So not to let the other side, lose their face and flee.

Now let's go and drink ,to our heart satisfaction,

To be high and feel happy and intoxication,

So to talk everything in a easy way,

And to console the Soul in heaven we may.

Both the theory and the practice,

All sounds perfect and excellence.

Nodding his small head of dragon,

The train is again on the track.

All is well except the pillar the great,

He seems still planning to be a fighter brave,

Comrade Zhan Tang high blood pressure has,

Mr. Jing Wei is diabetes treatment with.

So save the nation out of disaster, it would't work,

Although Old Wu has been warned for his words.

If this goes on , what should we decide?

China is always in trouble for all sides.

Even the Party ruler will not be able,

So the suffering will still be the humble.

Wish it's easy to be healed and united with toil,

If only throwing the "dispute "to toilet.

Fart, fart, dag's fart!

What a big nonsense, really a fart!

（1932）

寶塔詩[226]

兵

成城

大將軍

威風凜凜

處處有精神

挺胸肚開步行

說什麼自由平等

哨官營官是我本分

Pagoda Song

Soldier

Strong warrior

A great commander

Proud and aggressive manner

With high spirit walk everywhere

Stride on bravely the dignified marcher

Nothing more with freedom and equality whatever

Sentry and guards my destination of commanding officer

---

226 1961 年 9 月 23 日《文匯報》刊登沈瓞民《回憶魯迅早年在弘文學院的片斷》一文裡載有這首寶塔詩，並說明是魯迅所做。從 1903-1904 年魯迅和沈瓞民同在日本弘文學院學日語。

附錄：魯迅詩歌總目錄

一、舊體詩

題首	標題	創作時間
1.1-3	別諸弟三首（庚子二月）	（1900 年 3 月 18 日）
2.4	蓮蓬人	（1900 年秋）
3.5	庚子送灶即事	（1901 年 2 月 11 日）
4.6	祭書神文	（1901 年 2 月 18 日）
5.7-9	別諸弟三首（辛醜二月並跋）	（1901 年 4 月 2 日）
6.10-13	惜花四律	（1901 年 4 月 14 日）
7.14	自題小像	（1901 年 3 月 15 日）
8.15	《月界旅行》回末詩 13 對句	（1903 年）
9.16	戰哉歌	（1903 年 6 月）
10.17	進兮歌	（1906 年）
11.18	哀范君三章	（1912 年 8 月 21 日）
12.19	我的失戀 —— 擬古的新打油詩	（1924 年 10 月 3）
13.20	替豆其伸冤	（1925 年 6 月 7 日）
14.21-23	鑄劍歌三首	（1926 年 10 月）
15.24	吊盧騷	（1928 年 4 月 10 日）

16.25 題贈馮蕙熹　　　　　　　（1930 年 9 月 1 日）

17.26 贈鄔其山　　　　　　　　　（1931 年春）

18.27 送 O.E.君攜蘭歸國　　　　（1931 年 2 月 12 日）

19.28 慣於長夜　　　　　　　　　（1931 年 2 月）

20.29 贈日本歌人　　　　　　　（1931 年 3 月 5 日）

21.30 無題（大野多鉤棘）　　　（1931 年 3 月 5 日）

22.31 湘靈歌　　　　　　　　　（1931 年 3 月 5 日）

23.32-33 無題二首　　　　　　　（1931 年 6 月 14 日）

24.34 送增田涉君歸國　　　　　（1931 年 12 月 2 日）

25.35 無題（血沃中原）　　　　（1932 年 1 月 23 日）

26.36 偶成　　　　　　　　　　（1932 年 3 月 31 日）

27.37 贈蓬子　　　　　　　　　（1932 年 3 月 31 日）

28.38 一·二八戰後作　　　　　（1932 年 7 月 11 日）

29.39 自嘲　　　　　　　　　　（1932 年 10 月 12 日）

30.40-43 教授雜詠四首　　　　　（1932 年 12 月 29 日）

31.44 所聞　　　　　　　　　　（1932 年 12 月 31 日）

32.45-46 無題二首　　　　　　　（1932 年 12 月 31 日）

33.47 無題（洞庭木落）　　　　（1932 年 12 月 31 日）

34.48 答客誚　　　　　　　　　（1932 年 12 月 31 日）

35.49 二十二年元旦　　　　　　（1933 年 1 月 26 日）

36.50 贈畫師　　　　　　　　　（1933 年 1 月 26 日）

37.51 學生和玉佛　　　　　　　（1933 年 1 月 30 日）

38.52 吊大學生　　　　　　　　（1933 年 1 月 31 日）

39.53 題《吶喊》　　　　　　　（1933 年 3 月 2 日）

40.54 題《彷徨》　　　　　　　（1933 年 3 月 2 日）

二、新體詩

三、民歌體詩

Appendix：

Contents of Poems of Lu Xun

No.　　　　　Title　　　　　　　　Time of writing

I. Poems in the Classical Style

1.1-3 Three Poems for Farewell to My Brothers　（3.18.1900）

2.4　Lotus Seedpod　　　　　　　　（Autumn1900）

3.5　On Sacrifice to Kitchen God　　　　（11.2.1901）

4.6　Offer Sacrifice to Book God　　　　（18.2.1901）

5.7-9 Three Poems of Farewell to My Brothers　（2.4.1901）

6.10-13 Four Poems of Fondness of flowers　（14.4.1901）

7.14 Inscription on My Photo　　　　　（15.3.1901）

8.15. Couplets at the End of Chapters

　　　in Surround the Moon　　　　　（1903 年）

9.16　The Song Of Fighting　　　　　（6.1903）

10.17　The Song Of Marching Forward　　（1906）

11.18 Three Stanzas of Mourning for Mr. Fan　（21.8.1912）

12.19　My Lost Love　（archaistic doggerel）　（3.10.1924）

13.20 Appeal for the Beanstalks　　　　（7.6.1925）

14.21-23 Three Songs of Sword Founding （10.1926）

15.24 My Condolence to Rousseau （10.4.1928）

16.25 Inscription to Feng Huijia （1.9.1930）

17.26 To Uchiyama （spring 1931）

18.27 To Mr. O.E. Back to Japan with Orchids （12.2,1931）

19.28　I'm Accustomed to the Long Night （2.1931）

20.29 To A Japanese Dramatist （5.3.1931）

21.30 Untitled（thistles and thorns with

the wild） （5.3.1931）

22.31 The Song of the Goddess of Xiang River （5.3.1931）

23.32-33 Two Untitled Poems （14.6.1931）

24.34 Farewell to Mr.Masuda Wataru back to Japan （2.12.1931）

25.35 Untitled（blood soaked the midland） （23.1.1932）

26.36 An Impromptu （31.3.1932）

27.37 To Pengzi （31.3.1932）

28.38 Written after the January 28,

1932 Incident （11.7.1932）

29.39 Self-Mockery （12.10.1932）

30.40-43 Four Poems of Mockery on Some

Professors （29.12.1932）

31.44 Hearsay （31.12.1932）

32.45-46 Two Untitled Poems （31.12.1932）

33.47 Untitled（leaves off by Dongting Lake） （31.12.1932）

34.48 Answering the Ridicule of Someone （31.12.1932）

35.49 Lunar New Year's Day of 1933 （26.1.1933）

II. Poems in the Modern Style

54.69 Dreams	（5.1918）
55.70 God of Love	（5.1918）
56.71 The Peach Blossom	（5.1918）
57.72 Their Garden	（7.15.1918）
58.73 Man and Time	（15.7.1918）
59.74 He	（15.4.1919）
60.75Inscription for the Collection of Nothing More	（14.10.1926）

III.Poems in the Ballad Style

61.76 "Reaction" of the Children's Song	（9.10.1922）
62.77 Song of the Good Things	（11.12.1931）
63.78 Song of Citizenship Course	（11.12.1931）
64.79 Nanjing Ballad	（25.12.1931）
65.80　Song of "Dispute"	（5.1.1932）
66.81　Pagoda Song	（1903 年）

結　　語

　　翻譯是人類文明社會的交流與傳播形式。長期以來的翻譯研究都是將重心放在翻譯文本的品質追求上，於是有了各種翻譯的標準及其相應的翻譯理論，例如：“信、達、雅”等等。而從翻譯及其傳播的角度看問題，並用中國古老易經的智慧和思想來探究翻譯理論，就為譯學研究打開了一個新天地。

　　魯迅的詩作不多，但他的詩歌卻是中國詩歌的典範和中國詩歌傳統的繼承和發展開拓，值得深入研究與廣泛的翻譯傳播。從魯迅的詩歌創作中，我們可以聽到歷史的風呼雷鳴，追蹤到中國近代以來詩歌的變化軌跡，看到中國社會生活的萬象圖景。從魯迅的詩作裡，我們還可以體察魯迅不同凡響的詩人氣質，看到他推陳出新改造中國舊體詩的氣魄和境界。魯迅的詩歌承前啟後，為後人留下了一筆寶貴的精神財富，他的詩話常說常新，是永不衰竭的久遠話題。魯迅的詩歌同他的小說與雜文一樣，在中國文學史上具有劃時代的重要意義。魯迅的詩歌是不朽的經典，是中華民族的寶貴精神財富，是世界詩壇的璀璨明珠，對魯迅詩歌的研究與翻譯傳播也是一項偉大的事業。

　　魯迅說：“明哲之士，必洞達世界之大勢，權衡校量，

去其偏頗，得其神明，施之國中，翕合無間。外之既不後於
世界之思潮，內之仍弗失固有之血脈。取今復古，別立新宗，
人生意義，致之深邃，則國人之自覺至，個性張，沙聚之邦，
由是轉爲人國。"[1]魯迅的詩歌及其翻譯的意義也正在於此。
通過翻譯與傳播的橋樑，弘揚中華民族傳統文化，融合汲取
世界新思潮，使之自立於世界民族之林。魯迅還說："意者
欲揚宗邦之真大，首在審己，亦必知人，比較既周，愛生自
覺。自覺之聲發，每響必中于人心，清晰昭明，不同凡響。
── 國民精神之發揚，與世界識見之廣博有所屬"[2]。魯迅詩
歌的翻譯與傳播研究將拓寬我們的詩學及其翻譯研究視野，
使中國傳統譯學發揚光大，使之更加完美、開放、科學、發
展、與時俱進，在新世紀世界詩壇放射出更加燦爛的光芒。

---

1 魯迅：《魯迅全集》，《文化偏至論》第 1 卷.[M].北京：北京人民文學出版
社，2005 年版，頁 57。
2 魯迅：《魯迅全集》，第 1 卷.《摩羅詩力說》[M].北京：北京人民文學出版
社，2005 年版，頁 67。

參考書目

魯迅著，周振甫注：《魯迅詩歌注》，南京：江蘇教育出版社，
　　2006 年版。

魯迅著：《魯迅全集》18 卷本，北京：人民文學出版社，2005
　　年版。

魯迅著：《魯迅譯文集》10 卷本，北京：人民文學出版社，
　　1958 年版。

吳中傑編著：《吳中傑點評魯迅詩歌散文》，上海，復旦大學
　　出版社，2006 年版。

張恩和注解：《魯迅舊詩集解》，天津，天津人民出版社，1981
　　年版。

吳鈞著：《魯迅翻譯文學研究》，濟南，齊魯書社，2009 年版。

李何林主編：《魯迅年譜》4 卷本，北京：人民文學出版社，
　　1983 年版。

魯迅著：《魯迅全集》10 卷本，北京：人民文學出版社，1958
　　年版。

劉運峰編：《魯迅全集補遺》，天津：天津人民出版社，2006
　　年版。

劉運峰編：《魯迅佚文全集》，北京：群言出版社，2001 年版。

羅蓀等編：《魯迅譯著系年目錄》，上海：上海文藝出版社，

1981 年版。

周國偉編著：《魯迅著譯版本研究編目》，上海：上海文藝出版社 1996 年版。

秦川編：《魯迅出版系年 1906-1936》，黑龍江：黑龍江人民出版社，1984 年版。

許廣平著：《魯迅的寫作和生活 —— 許廣平憶魯迅精編》，上海：上海文化出版社，2006 年版。

周建人著：《回憶大哥魯迅》，上海：上海教育出版社，2001 年版。

周海嬰著：《魯迅與我七十年》，上海：文匯出版社，2006 年版。

許壽裳著：《亡友魯迅印象記·許壽裳回憶魯迅全編》，上海：上海文化出版社，2006 年版。

孫用著：《魯迅譯文集校讀記》，湖南：湖南人民出版社，1986 年版。

張夢陽著：《中國魯迅學通史》，廣東：廣東教育出版社，2001 年版。

鄒賢堯著：《征服時空 —— 魯迅影響論》，北京：新星出版社，2006 年版。

孫昌熙等著：《魯迅文藝思想新探》，天津：天津人民出版社，1983 年版。

張夢陽著：《魯迅與中外文化的比較研究》，北京：中國文聯出版公司，1986 年版。

錢理群著：《與魯迅相遇》，北京：生活．讀書．新知三聯書店，2002 年版。

劉大鈞：《周易傳文白話講》，齊魯書社，1993 年版。

張傑著：《魯迅：域外的接近與接受》，福建：福建教育出版社，2001 年版。

王乾坤著：《魯迅的生命哲學》，北京：人民文學出版社，1999 年版。

魏韶華著：《"林中路"上的精神相遇》，北京：中國社會科學出版社，2004 年版。

孟昭毅、李載道主編：《中國翻譯文學史》，北京：北京大學出版社，2005 年版。

郭延禮著：《中國近代翻譯文學概論》，湖北：湖北教育出版社，1998 年版。

馬祖毅著：《中國翻譯簡史》，北京：中國對外翻譯出版公司，1998 年版。

孫迎春主編：《譯學詞典與譯學理論文集》，山東：山東大學出版社，2003 年版。

謝天振著：《譯介學》，上海：上海外語教育出版社，1999 年版。

餘光中著：《餘光中談翻譯》，北京：中國對外翻譯出版公司，2002 年版。

宋學智著：《翻譯文學經典的影響與接受》，上海：上海譯文出版社，2006 年版。

阿袁箋注：《魯迅詩編年箋證》，人民出版社，2011 年 1 月版。

周振甫：《文心雕龍注釋》，北京：人民文學出版杜，1981 年版。

廖詩忠：《回歸經典 —— 魯迅與先秦文化的深層關係》，上海，上海三聯書店　2005 年版。

魯迅著，吳鈞陶譯注：Lu Xun Selected Poems，《魯迅詩歌選譯》上海外語教育出版社，1981 年版。

衛禮賢.中國心靈（中文版）[M].北京:國際文化出版公司,1998 年版

南懷瑾，《南懷瑾選輯》，復旦大學出版社，1996 年版，

Eugene A. Nida, *Toward A Science Of Translation,* Shanghai Foreign Language Education Press, 2004.

Edwin Gentzler, *Contemporary Translation Theories*, Shanghai Foreign Language Education Press, 2004.

Katharina Reiss, *Translation Criticism, The Potentials & Limitations,* Shanghai Foreign Language Education Press, 2004.

Lisa Taylor, Andrew Willis *Media Studies, Texts，Institutions and Audiences*, Beijing University Press, 2004.

Larry A.Samovar, Richard E.Porter *Communication between Culture*s, Beijing University Press, 2004.

Poems of Lu Hsun, translated by Huang Hsin-chyu, Joint Publishing Co.Hongkong, 1981.

W.J.F.Jenner: Lu Xun Selected Poems 外文出版社 2000 年版。

Jon Kowallis:The Lyrical Lu Xun, University Of Hawaii Press, 1996.

Xun, Lu. *Lu Xun Selected Works*. （translated by Yang Xianyi and Gladys Yang）. Beijing: Foreign Languages Press, 1959.

David Y. Ch'en: Lu Hsun Complete Poems, Arizona State University, 1988.

The I Ching ,The Book of Changes.Translated by James Legge, Second Edition.Dover Publications,Inc.,New York, 1963.

Nord, Christiane. *Translating As a Purposeful Activity: Functionalist Approaches Explained.* Shanghai: Shanghai Foreign Language Education Press, 2001.

Reiss, Katharina. *Translation Criticism, The Potentials & Limitations.* Shanghai: Shanghai Foreign Language Education Press, 2004.

Samovar, A. Larry and Porter, E. Richard. *Communication between Cultures.* Beijing: Peking University Press, 2004.

Snell-Hornby, Mary. *Translation Studies: An Integrated Approach.* Shanghai: Shanghai Foreign Language Education Press, 2001.

Steiner, George. *After Babel: Aspects of Language and Translation.* Shanghai: Shanghai Foreign Language Education Press, 2001.

Taylor, Lisa and Willis, Andrew. *Media Studies, Texts, Institutions and Audiences.* Beijing: Peking University Press, 2004.

Venuti, Lawrence. *The Translator's Invisibility: A History of Translation.* Shanghai: Shanghai Foreign Language Education Press, 2004.

Williams, Jenny and Chesterman, Andrew. *The Map: A*

Beginner's Guide to Doing Research in Translation Studies. Shanghai: Shanghai Foreign Language Education Press, 2004.

Wood T. Julia. *Communication In Our Lives.* Beijing: Peking University Press, 2004.

後　　記

　　本著作爲我 2009 年 12 月至今的山東省社會科學規劃專題研究課題。經過近三年的研究與思索，經歷了嚴寒酷暑，度過無數個揮汗如雨的夏日，終於在 2012 年的金秋辛勞結出了收穫的果實。

　　在結題出版之際，感謝山東外語學院前院長郭繼德教授和文學與新聞傳播學院前院長吳開晉教授長期以來對我的教導和幫助，他們的序言將永遠激勵我在學術研究的道路上不懈的努力與前進。

　　感謝山東大學文學與新聞傳播學院及外國語學院的張華教授、鄭鳳蘭教授、賈衛國教授、王俊菊教授等前輩、師長、同仁們對我的論著寫作和出版的關注和支持。

　　感謝臺灣詩人林明理老師熱心協助聯繫出版事宜。

　　感謝臺灣文史哲出版社彭正雄主編先生大力協助出版，以及同仁們認真負責的高效率工作和精美的封面設計。沒有他們辛勤勞動的大力支持和協助，這本著作就不會如願出版以及時結題。

　　感謝所有關心本著作完成的各位師長和朋友，感謝我的家人的支持和理解。

　　最後，我將這本著作獻給我的父親吳開豫先生，願父親在天堂微笑。

　　筆者願以自己的拙著拋磚引玉，爲魯迅詩歌翻譯研究事業添磚加瓦。殷切希望各位同仁和讀者，對本書研究及其翻譯不吝提出寶貴的意見，以利今後的修改再版。

　　　　　吳　鈞
　　　　　2012 年 8 月 17 日於濟南槐香居

作者著作及獲獎

著　作：

1.學術專著：《魯迅翻譯文學研究》，齊魯書社，2009 年。

2.學術專著：《學思錄 ── 英語教研文集》，內蒙古人民出版社，1999 年。

3.譯著：吳開豫著《自珍集》，中國文史出版社，2006 年。

4.譯著：林明理《回憶的沙漏》中英文對照詩集，臺灣秀威出版社，2012 年 2 月。

5.編譯：《老屋的倒塌 ── 愛德格‧愛倫坡驚險故事》，山東文藝出版社，2000 年。

6.參編：《譯學詞典與譯學理論文集》，山東大學出版社，2003 年。

7.參編：《大學英語精讀 5 級同步輔導與強化》，大連理工學出版社，1999 年。

學術論文：

1. "論魯迅詩歌英譯與世界傳播"，《山東社會科學》，第 11 期，2011 年。（CSSCI）

2. "易經英譯與世界傳播"，《周易研究》，第 1 期，2011年。（CSSCI）

3. "魯迅'中間物'思想的傳統文化底蘊"，《周易研究》，第 1 期，2008 年。（CSSCI）

4. "魯迅'中間物'思想的傳統文化血脈"，《齊魯學刊》，第 2 期，2008 年。（CSSCI）

5. "論魯迅的憂患意識"，《西北師大學報》，第 6 期，2007年。（CSSCI）

6. "從儒家思想看魯迅精神與中國文化傳承"《甘肅社會科學》第 4 期，2007 年。（CSSCI）

7. "從《周易》看魯迅精神與民族魂"，《周易研究》，第 2期，2007 年。（CSSCI）

8. "略論《苔絲》創作手法的悲劇意味"，《齊魯學刊》，第 9 期，2002 年。（CSSCI）

9. "從《周易》的原點看人文精神與新世紀跨文化交際"，《周易研究》，第 6 期，2002 年。（CSSCI）

10. "略論《苔絲》的當代啓示性"，《東嶽論叢》，第 9 期，2002 年。

11. "童話王國民俗見聞"，《民俗研究》，2002 年。

12. "論《紫色》的思想藝術性"，《齊魯學刊》，第 3 期，2005 年。

13. "艾米莉狄更生詩歌創作特徵與藝術手法"，《臨沂師範學院學報》，第 10 期，2002 年。

14. "非專業研究生英語教學中的方法探討"，《山東外語教學》，第 6 期，2002 年。

15. "略論菲茨傑拉德的創作思想、藝術手法及現實意義"，

《河西學院學報》，第 6 期，2002 年。

16. "憂鬱的藍玫瑰"，《萊陽農學院學報》，第 5 期，2002 年。

17. "從《雷雨》創作的悲劇女性形象看經典文學的傳播"，《山東文學》，第 9 期，2006 年。

18. "從中西電影中的女性形象塑造談起"，《華夏文壇》，第 12 期，2005 年。

19. "從影視人物形象塑造看中西文化歷史發展"，《山東文學》，第 6 期，2005 年。

20. "從電影中的女性形象塑造看全球化語境下的跨文化交際"，《時代文學》，第 6 期，2005 年。

21. "愛倫・坡詩歌創作風格"，《中外詩歌研究》，第 2 期，2003 年。

22. "英語顏色詞的翻譯與跨文化交際"，《現代文秘》，第 2 期，2002 年。

23. "英語實物顏色詞的構成及修辭作用"，《寧波大學學報》，第 4 期，1995 年。

24. "外貿英語談判課中的模擬法運用新探"，《寧波大學學報》，第 2 期，1996 年。

25. "模擬教學法在外貿英語談判課中的運用"，《山東外語教學》，第 3 期，1996 年。

26. "多彩的道路，曲折的道路 —— 從愛麗絲・沃克的《紫色》看美國婦女的自救道路"，《學習與思考》，第 4 期，1996 年。

27. "顏色的象徵 —— 從一部小說看美國婦女的自救道路"，《現代化》，第 6 期，1996 年。

28. "從《了不起的蓋茨比》看金錢夢的破滅"，《學習與思考》，第 9 期，1995 年。

翻　譯：

1. 翻譯吳開晉教授詩歌〈土地的記憶〉，1996 年，世界詩人大會。（東京）
2. 翻譯吳開晉詩歌〈椰林歌聲〉，香港漢英雙語詩學季刊《當代詩壇》，第 51-52 期，2009 年。
3. 翻譯吳開晉詩歌〈久違的雷電〉，《當代詩壇》，第 51-52 期，2009 年。
4. 翻譯吳開晉詩歌〈寫在海瑞墓前〉、〈致瀑布〉和〈灘江〉，《老年作家》，第 4 期，2009 年 6 月。
5. 翻譯《中國沾化吳氏族譜》序言，中國檔案出版社，2008 年。
6. 翻譯〈易理詮釋與哲學創造〉，《周易研究》（增刊），2003 年。
7. 翻譯：林明理詩歌〈雨夜〉、〈夏荷〉，《World Poetry Anthology 2010》（2010 第三十屆世界詩人大會世界詩選）臺灣。
8. 翻譯：林明理詩歌〈夏蓮〉、〈流星雨〉、〈曾經〉、〈四月的夜風〉、〈霧〉、〈想念的季節〉等發表於美國《世界詩歌》2010--2012 年，Poems Of The World, USA, Volume14--16, 2010--2012.

詩歌創作：

1.詩歌：〈悉尼隨感錄 11 首〉，《彼岸》第 3 期，2011 年。
2.詩歌：〈吳鈞悉尼詩歌選 12 首〉，《華夏文壇》，第 3 期，
　　2010 年。
3.詩歌：〈天望〉、〈家鄉的國槐〉、〈母親〉，《山東文學》，2010
　　年 7 月。
4.詩歌：〈時光的葉片〉（〈路〉、〈夏之偶感〉、〈總是〉、〈淡
　　淡的心湖〉），《網路作品》，第 1 期，2010 年。

散文創作：

1.散文：〈塞外江南張掖漫遊〉《華夏文壇》，第 1 期，2012
　　年。
2.散文：〈父愛如山〉，《華夏文壇》，第 3 期，2009 年。
3.散文：〈槐香如故〉，《當代小說》，第 10 期，2007 年。
4.散文：〈魯橋眺望〉，《華夏文壇》，第 4 期，2007 年。

主持科研專案：

主持山東省社科規劃辦專案：〈翻譯傳播學研究 ── 從魯迅
　　翻譯文學傳播談起〉2009 年 12 日－2012 年 8 日。

獲　獎：

1. 翻譯吳開晉教授詩歌《土地的記憶》獲 1996 年世界詩人大會（東京）詩歌和平獎。
2. 專著《魯迅翻譯文學研究》獲 2010 年度山東省文化藝術科學優秀成果獎（專著類）二等獎。
3. 專著《學思錄》獲 2000 年山東大學哲學社科研究三等獎。